创新网络视角下产业集群升级研究

余佳群 著

哈尔滨工程大学出版社
Harbin Engineering University Press

内 容 简 介

本书根据创新网络、产业集群等相关理论,结合产业集群发展的实践,构建了创新网络视角下"网络结构—创新行为—产业集群升级"模型,深入剖析了创新网络对产业集群升级的作用机理。

本书创新性强,弥补了目前有关产业集群升级研究中内在创新网络研究较少、研究方法多以定性为主的缺陷,充实和丰富了产业集群升级的理论和方法,为产业集群升级研究提供了一定的理论参考。

图书在版编目(CIP)数据

创新网络视角下产业集群升级研究 / 余佳群著. —哈尔滨:
哈尔滨工程大学出版社,2019.4
ISBN 978 - 7 - 5661 - 2222 - 3

Ⅰ. ①创… Ⅱ. ①余… Ⅲ. ①产业集群 – 产业结构升级 –
研究 Ⅳ. ①F263

中国版本图书馆 CIP 数据核字(2019)第 048963 号

选题策划　宗盼盼
责任编辑　张忠远　葛　雪
封面设计　博鑫设计

出版发行　哈尔滨工程大学出版社
社　　址　哈尔滨市南岗区南通大街 145 号
邮政编码　150001
发行电话　0451 – 82519328
传　　真　0451 – 82519699
经　　销　新华书店
印　　刷　北京中石油彩色印刷有限责任公司
开　　本　787 mm×960 mm　1/16
印　　张　8
字　　数　162 千字
版　　次　2019 年 4 月第 1 版
印　　次　2019 年 4 月第 1 次印刷
定　　价　39.80 元
http://www.hrbeupress.com
E-mail:heupress@ hrbeu.edu.cn

前　言

随着经济全球化趋势的愈加明显和全球价值链的深入整合,产业集群在全球价值链中发挥着十分关键的作用。我国产业集群经过 20 多年的发展壮大,极大地推动了区域经济的发展,已经成为我国经济发展的"龙脉"和经济增长的重要源泉。尽管如此,我国大多数产业集群却始终徘徊在全球价值链的低端,生产技术及创新活动滞后、品牌价值不高、创新动力不足成为制约产业集群发展的主要问题。近年来,在人民币持续升值、劳动力成本上升、世界主要经济体产业转移等多种因素的影响下,我国多数产业集群面临生存危机。因此,研究我国产业集群如何渡过危机,实现转型和升级,成为目前我国政府和学者亟待研究和解决的问题。本书对产业集群升级问题所进行的研究,具有十分重要的理论价值和实践意义。

本书在回顾、梳理产业集群升级等相关理论的基础上,将关于产业集群升级的研究归纳为外源化和地域化两大视角。由于外源化视角强调产业集群升级求诸产业集群外部力量,忽略了产业集群的内在联系以及产业集群本身的创新功能对产业集群升级的根本动力作用,因此,本书确定以产业集群升级的内在动力为研究的出发点。本书借鉴了产业集群演化理论、产业集群竞争力理论以及产业集群升级理论等,揭示了产业集群升级的本质是创新,知识是产业集群升级的基础。结合创新网络理论和产业集群升级的实践,作者认为创新网络各构成要素对产业集群升级具有重要影响,从而确立了以创新网络视角下产业集群升级为本书的主要研究方向。

本书依据产业组织理论中传统的"SCP"研究范式,在分析创新网络的主体、创新资源和主体创新行为三个构成要素及其与产业集群升级关系的基础上,构建了创新网络视角下"网络结构—创新行为—产业集群升级"模型,并以此为分析路径,分别对网络结构—创新行为、创新行为—产业集群升级的影响机理进行深入分析,揭示了网络结构、创新行为对产业集群升级的作用机理。

本书遵循"理论分析—实证研究—理论总结"的研究思路,结合产业集群升级的机理模型,提出 11 项假设。根据网络结构要素、创新行为要素和产业集群升级要素的测度量表,对辽宁省大连市和锦州市不同产业集群的企业进行调研,运用 SPSS 和 AMOS 软件对 218 家企业的样本数据进行检验分析,从实证角度验证理论假设的有效性,明晰了创新网络视角下产业集群升级的机理。通过对实证结果的深入分析和讨论,结合我国产业集群升级的实践,从企业和政府两个层面提出对策建议。

基于以上的研究论证,本书得出以下主要结论。

(1)内在动力是产业集群升级的根本动力。产业集群升级的外部动力只有通过影响、改变产业集群的内部状态,保持和提升产业集群企业的创新能力和创新绩效,优化创新网络,激发产业集群的内在动力,才能实现产业集群的升级。

(2)产业集群升级的本质是创新,升级的基础是知识。本书界定了产业集群升级的内涵和本质,分析得出无论是产业集群的工艺流程升级、产品升级还是功能升级,实质上都是产业集群知识的创新,产业集群升级的过程也就是产业集群知识的积累、获取、吸收、转化与创新的演变过程。

(3)"网络结构—创新行为—产业集群升级"是实现产业集群升级的关键环节。本书构建了以创新行为为中间变量的产业集群升级模型,在理论上研究并验证了网络结构需要通过创新行为对产业集群升级产生影响,创新行为直接作用于产业集群升级。

(4)创新网络对产业集群升级发挥着重要作用。产业集群升级的实现需要创新网络的主体、创新资源和主体创新行为三者和谐发展、共同作用,创新网络为各行为主体间的合作与竞争、互补性资源的获取以及知识的顺畅传播搭建了网络资源平台,提升了产业集群创新绩效,推进了产业集群升级。

本书的创新之处主要体现在以下方面。

(1)现有产业集群升级研究大多是以产业集群外部的全球价值链视角来进行分析,强调产业集群升级是求诸产业集群外部力量,忽略了产业集群的内在联系以及产业集群本身的创新功能。同时,创新网络对产业集群创新与升级的作用日趋明显,但由于起步晚,尚未形成完整的理论体系,更缺乏以该理论为视角的产业集群升级方面的研究。因此,本书以创新网络为视角,强调产业集群网络化创新对产业集群升级的影响,弥补了现有产业集群升级研究缺乏从产业集群内在因素分析的不足,研究视角具有创新性。

(2)现有全球价值链理论在产业集群升级机理研究方面存在明显不足,本书将产业集群视为一个创新网络系统,并融合了产业组织理论中传统的"SCP"研究范式和网络构成三要素的精髓,提出了创新网络视角下产业集群升级的总体理论分析框架,构建了"网络结构—创新行为—产业集群升级"的机理模型,揭示了网络结构、创新行为对产业集群升级影响的作用机理。因此,本书弥补了产业集群升级机理研究的不足,为产业集群升级机理研究提供了一个理论模型和分析框架。

(3)现有产业集群升级的实证研究基本上是以产业集群整体为单位,采用"就产业集群而论产业集群"的方法,大多以静态理论分析和状态性的案例描述为主,从微观的产业集群企业层面深入而系统地对产业集群升级的研究非常缺乏,这种产业集群整体性的分析难以真正揭示产业集群升级的机理和产业集群升级的根本动力,并且对产业集群升级的实践难以提出切实可行的建议。本书以实际调研的218家产业集群企业的数据为样本,通过问卷设计、数据收集、统计分析和结构方程模型分析,对产业集群升级理论模型进行实证检验,验证了创新网络视角下产业集群升级的机理模型。本书的实证研究一定程度弥补了产业集群升级研究中微观分析的缺失和定量分析的不足,丰富了产业集群升级的实证分析方法。

本书是辽宁省社会科学规划基金项目(L18BJY034)的阶段性研究成果。

由于作者水平有限,书中难免存在错误和不妥之处,恳请读者批评指正。

余佳群

2018 年 12 月

目　　录

第1章 绪 论

针对我国众多产业集群始终处于全球价值链低端、面临生存危机和巨大升级压力的现实,如何实现产业集群升级已经成为我国学者和政府亟待研究和解决的问题。本章首先阐述本书研究的背景与意义,并提出需要研究、分析的问题;其次对基本概念进行界定与说明;最后说明本书的研究思路、研究内容、研究方法以及创新点。

1.1 研究背景与意义

1.1.1 现实背景与意义

1. 产业分工不断细化,全球价值链深入整合

当前,经济全球化使资源、技术实现了全球流动,产业分工也扩散到全球范围,各经济主体的经济活动日益纳入全球生产、贸易、投资和消费当中。在以生产要素流动为主要渠道的全球经济网络中,不同国家或地区的产业集群、制造企业的专业化分工更加细化。为巩固和保持竞争优势,各地产业集群或企业开始向外寻求合作伙伴,并不断主动或被动地嵌入到全球价值链中。因嵌入的产业集群或企业的专业化分工不同,它们在全球价值链中所处的环节和承担的价值链功能也各有不同。

嵌入到全球分工网络体系中的产业集群是否一定能实现创新绩效的提升和价值链的升级?很多学者对此进行了探讨。Gereffi 提出了全球价值链的生产者驱动、购买者驱动的两分类法,Humphrey 和 Schmitz 提出了市场导向型、均衡网络型、俘获网络型、层级型的四种治理形式,他们三人的理论解释了以国家或地区为单元的生产体系在全球价值链片段化状态下的对接与治理形式。他们在对发展中国家嵌入全球生产体系的考察中发现这样一个事实:大多数发展中国家的产业集群最初都是从网络的边缘开始,通过承担附加值最低的产业链环节而加入全球生产体系中的,而在产业链中享有高附加值的大多是发达国家。由于全球价值链高端能带给发达国家较高的经济利益,为长期保持该种状态,发达国家在产业及产业集群创新能力和绩效的提升方面给发展中国家的产业集群制造了许多障碍或进行限

制,因而加剧了两者在权利关系和利益分配上的不平衡,导致大多数发展中国家的产业集群长期徘徊在全球价值链低端环节,处于价值链"低端锁定"的状态,进入"依附经济"的轨道,陷入难以升级的困境。因此,实现在全球价值链上的升级是这些发展中国家产业集群努力的方向。

2. 我国产业集群发展面临的问题与升级压力

我国产业集群已经有20多年的发展历史,为地方经济和我国整体经济的发展做出了显著的贡献,在促进区域经济发展、扩大就业以及推进我国产业走向世界等方面发挥着至关重要的作用。尽管如此,目前我国产业集群的发展大多还处于初期阶段,面临着许多挑战和升级压力,主要问题表现为以下方面。

(1)全球价值链低端锁定

我国大多数产业集群始终处于全球价值链的低端环节,主要处在以组装、生产为主的低附加值的环节,处于"微笑曲线①"的最低端(图1-1),而价值链中高附加值的环节大多由外商完成。这种"两头在外"的价值链分布,造成我国产业集群面对风险时规避空间狭小,应对能力不足。

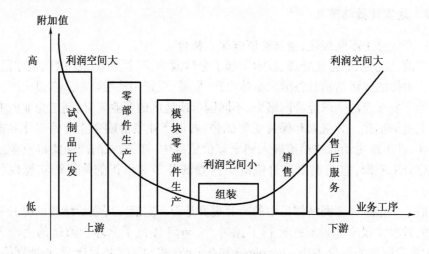

图1-1 微笑曲线

(2)自主创新与升级动力不足、恶性竞争频繁

我国产业集群的竞争优势主要来源于低成本和低价格,很少依赖于技术创新。

---

①宏碁创办人施振荣先生在1992年为了"再造宏碁"提出了著名的"微笑曲线"理论,作为宏碁的策略方向。微笑曲线两端朝上,在产业链中,附加值更多地体现在两端。中国制造业长期以来就处于微笑曲线的最低端,仅依靠组装这一环节挣钱,利润较低,而真正赚钱的是产业链上游的试制品开发和下游的售后服务。

虽然具有开放性，却没有创新性。我国大多数产业集群企业非常热衷于产能的简单扩张，却很少愿意投资以技术开发和产品升级为特征的技术创新领域，知识和技术更新缓慢，而且存在一定的"路径依赖"现象，创新网络效率低，缺乏创新的主动性和主导权，造成自主创新的动力和能力严重不足，缺乏产业集群升级的内在推动力。由于产业集群内企业地理聚集，加速了创新知识的传播和扩散，使创新知识和技术的外部性更加突显，并成为产业集群网络的"公共产品"，这也大大便利了模仿型企业的吸收和仿冒。为此，产业集群企业经常面临是否独立创新和模仿的策略选择，而且产业集群内企业产品同质性程度高，难以形成产业链上的上下游分工协作，经常发生恶性竞争情况。

下面以一个简单动态博弈模型来分析产业集群内企业创新与升级动力不足的情况，以及恶性竞争发生的原因。

假设产业集群企业 A 和企业 B 有创新和模仿两种策略可供选择，其中，采取创新策略的企业比例为 $x(0<x<1)$，而采取模仿策略的企业比例为 $1-x$。由于企业同在一个网络内，地理位置邻近而且相互间交互频繁，造成采取创新策略的企业的研究成果比较容易被采取模仿策略的企业获取。图 1-2 为产业集群企业 A 和企业 B 的收益矩阵，表示采取创新或模仿两种策略企业的收益情况。

企业B

		创新	模仿
企业A	创新	a,a	b,c
	模仿	c,b	d,d

图 1-2 产业集群企业 A 和企业 B 的收益矩阵

假设产业集群企业 A 和企业 B 只要有一方采取创新策略开发研制出新产品，无论另一方是否选择创新策略，选择创新策略的一方都能因此开拓出新市场并获取其全部的收益，则 $a+a=b+c$。如果产业集群企业 A 和企业 B 两者都不选择创新策略进行开发活动，那么任何一方都不能开拓出新市场，自然也不能获得相应的收益，那么产业集群企业 A 和企业 B 均无任何收益，即 $(d,d)=(0,0)$。由于研发创新活动需要有创新资金投入，选择创新策略的企业需要承担创新的风险，而选择模仿策略的企业无须创新资金投入就可获取创新成果，所以选择创新策略的企业和选择模仿策略的企业在收益关系上可以合理假设为：$c>a>b>d>0$。此时，选择创新策略的企业和选择模仿策略的企业的期望收益分别为 $u_1=xa+(1-x)b$ 和 $u_2=xc+(1-x)d$，两者的平均期望收益为 $\bar{u}=xu_1+(1-x)u_2$。选择采取模仿策略

的产业集群企业的动态方程为

$$\frac{\mathrm{d}X}{\mathrm{d}t} = x(u_1 - \bar{u}) = x(1-x)\left[x(a-c) + (1-x)(b-d)\right]$$

令 $\frac{\mathrm{d}X}{\mathrm{d}t} = F(x)$，当 $F(x) = 0$ 时，$x_1^* = 0$，$x_2^* = 1$，$x_3^* = \dfrac{b-d}{c-a+b-d}$，根据 $c > a > b > d > 0$ 的收益假设，判定 $0 < x_3^* < 1$。

根据微分的稳定性定理，在 $x_1^* = 0$，$x_2^* = 1$，$x_3^* = \dfrac{b-d}{c-a+b-d}$ 这三种稳定状态下，只有当 $F'(x) < 0$ 时，x 点才是进化稳定策略。$F'(x_1^*) = F'(0) > 0$；$F'(x_2^*) = F'(1) > 0$；$F'(x_3^*) = F'\left(\dfrac{b-d}{c-a+b-d}\right) < 0$。所以，只有 $x_3^* = \dfrac{b-d}{c-a+b-d}$ 才是进化稳定策略。

这一结果表明：当只有创新和模仿这两种策略可供产业集群企业选择时，选择采取创新策略的企业比例是 $x_3^* = \dfrac{b-d}{c-a+b-d}$。为考察选取创新策略的企业占全部企业的比例情况，假设通过创新开拓出新市场可以获取的收益为4，则 $a = 2$，分析在以下三种情况下选择采取创新策略的企业即 x_3^* 的变化情况：

① 当 $b = 1.5$，$c = 2.5$ 时，$x_3^* = 75\%$；

② 当 $b = 1$，$c = 3$ 时，$x_3^* = 50\%$；

③ 当 $b = 0.5$，$c = 3.5$ 时，$x_3^* = 25\%$。

上述选择创新策略的企业比例很直观地反映出这样的结果：在创新策略和模仿策略选择的博弈中，如果通过模仿得到的收益越多，则产业集群内愿意选择创新策略的企业的比例就越小。这组数据也揭示了造成创新动力不足和恶性竞争的主要原因：由于模仿和搭便车的企业自身不投入各种要素进行创新开发，无须承担任何风险，只是仿效现有的技术和创新产品，其生产成本可能要大大低于创新研发企业，能获取更多的收益；而对于选择创新策略的企业来说，创新研发能产生的超额利润会被"搭便车"或"仿冒"这样的恶性竞争行为消耗掉，企业创新的投入和所承担的风险难以得到回报或补偿。如果这种恶性的竞争得不到控制或不能受到相应的惩罚，企业创新和模仿策略选择的纳什均衡结果就会是选择创新策略的企业非常少，这会导致产业集群企业模仿、窃取或盗用竞争对手技术秘密或专利以及粗制滥造等恶性竞争行为盛行。如果产业集群内企业均采取"效仿不开发"策略，长此以往就会导致产业集群知识积累和创新的停滞、产业集群整体创新能力的退化、产业集群竞争优势的减弱和丧失，不可避免地会使产业集群萎缩甚至消亡。

以浙江省产业集群为例，迄今为止，经过20余年的发展，数以万计的中小企业形成了五六百个产业集群,但是浙江永康保温杯产业集群①、温州桥头镇纽扣产业集群由于创新停滞和恶性竞争,在经历 10 余年的辉煌后已经走向没落和终结。2008 年由美国"次贷危机②"引起的国际金融危机的传导效应显现后,浙江省产业集群应有的抗风险能力却未能显现,部分地区的众多企业陷入倒闭、停产或濒临破产的困境。目前我国产业集群所依赖的低成本优势已经逐渐丧失,而且这种低成本的竞争优势也很容易被其他区域的更低成本所代替,在激烈的市场竞争中,产业集群发展出现衰退,进而引发地区经济竞争力的降低。

3. 创新网络低效运行,产业集群创新能力不强

尽管创新网络是随着产业集群的产生、发展而逐渐形成发展起来的,但是创新网络创新功能的发挥是需要不断加强、优化和完善的。由于我国产业集群大多处于初级阶段,无论是传统的乡镇企业产业集群,还是高科技产业园区,都明显存在着创新能力不足的问题。这是因为与国外成熟的产业集群相比,处于初级阶段的产业集群的创新网络有许多先天不足之处,具体表现为:网络内各节点协作性和互动性不强,在产业链各环节中的企业普遍存在信息封锁的现象,相互间技术创新合作稀缺、产业集群的学习作用难以有效发挥;区域制度基础薄弱;缺少更强大的研发机构、职业培训组织及创新过程中涉及的其他组织的支持等。在这种初级阶段创新网络的低效运行中,产业集群内企业的离散化制约了产业集群企业创新协同机制的建立,导致产业集群集成创新能力不强,创新风险和产业集群衰败的风险累积加大,产业集群的竞争力难以持久,并最终影响产业集群的升级。

4. 产业集群升级刻不容缓,配套措施亟待完善

我国产业集群始终在全球价值链低端环节徘徊,产品附加值日益降低,产业集群升级迫在眉睫。尽管近年来政府或产业界为促进产业集群的升级出台了一些政策法规,但由于缺乏对产业集群升级内涵、本质、机理以及影响因素的清晰认识,这些政策在很大程度上停留在"口号"上,在实践中的可操作性不强,实质性进展不大。

当前我国正处于重要经济转型期,产业结构面临全面调整,经济全球化、信息化以及科技的日新月异极大地改变着产业集群(企业)所依托的国内外环境。随着国际竞争的加剧、生产和贸易全球化的不断深入、产业生命周期的缩短,我国产业集群面临资源集约利用、贸易壁垒、人民币升值、劳动力成本和原材料价格上涨

①仇保兴以浙江永康保温杯产业集群为例,研究了小企业产业集群中恶性竞争导致产业集群衰退的情况。

②2006 年,美国的"次贷危机"是一场因次级抵押贷款机构破产、投资基金被迫关闭、股市剧烈震荡引起的风暴,到 2007 年 8 月,这次危机席卷美国、欧盟和日本等世界主要金融市场,进而引发全球经济危机。

等挑战,而且我国产业集群目前处于"哭泣曲线①"状态(图1-3)。鉴于这一严峻的发展现实,如何打破我国产业集群低端代工、"三来一补"的低附加值的锁定状态?如何增强产业集群竞争力与竞争优势,保持产业集群长期可持续发展,避免产业集群出现衰退的情况?唯一的答案就是升级,不升级就没有出路。可见,实现产业集群升级已经成为目前我国学者和政府亟待研究解决的问题。本书结合我国产业集群的实际,深入研究产业集群升级过程中遇到的问题,为相关政策、法规的制定提供可操作性的建议,具有十分重要的现实意义。

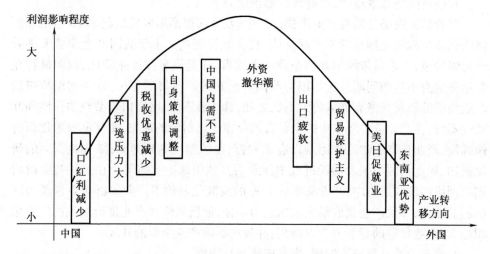

图1-3 哭泣曲线

1.1.2 理论背景与意义

1. 产业集群研究与创新网络研究的交叉与融合

近年来,有关产业集群的研究取得了一系列重要的研究成果。具体来说,关于产业集群的研究大体分为三个阶段。第一阶段研究,发生在20世纪90年代至21世纪的前3年,主要围绕产业集群概念及其产生的动机、机理等进行研究。第二阶段研究,是在产业集群概念及其产生机理等有了较为清晰的研究后,主要围绕产业集群演化、产业集群成长以及产业集群竞争优势等研究而展开,至今该方面的研究

---

① 由21世纪网周斌提出,描述中国制造业当前面临的困境。"哭泣曲线"左边是中国人口红利减少、环境压力大、税收优惠减少等因素带来的制造业成本"高企",右边是出口疲软和贸易保护主义等打击。外资撤离中国的背后,实则是中国外贸转型升级过程中劳动力价格优势不复存在的表现,传统的代工模式已经难以为继。

仍在进行。第三阶段研究,主要是最近几年围绕产业集群创新网络和产业集群升级方面进行的研究。随着经济全球化的深入、市场竞争的加剧以及产业集群创新网络特征的日益明显,对产业集群的创新网络和产业集群升级的研究成为产业集群研究的新热点。基于产业集群本身"弹性专精"和创新网络的特征,在产业集群的研究中,学者们更多地采用了创新理论、网络理论,而且两种理论相互交叉和融合,成为产业集群研究的发展趋势。

2. 产业集群升级理论发展及其存在的不足

关于产业集群升级的研究是目前产业集群研究的新热点,在现有的有关产业集群升级的研究中,最具代表性的是 Humphrey、Schmitz 和 Kaplinsky 的研究,他们从产业集群外部的全球价值链视角切入,在对产业集群嵌入全球价值链升级研究方面,提出了工艺流程升级、产品升级、过程升级和功能升级四种产业集群升级模式。尽管全球价值链理论是目前产业集群升级研究的代表性理论,但是该理论侧重强调的是全球价值链治理等产业集群外部因素对产业集群升级的影响,对于产业集群内部引起产业集群升级的根本内在因素没有进行研究,在剖析产业集群升级机理方面存在明显不足。由于产业集群被公认为是一种介于微观企业和宏观市场的特殊的网络组织,近阶段理论界也开始从产业集群内部的网络视角入手研究产业集群升级,然而至今尚未有系统的工具来分析产业集群升级,对产业集群升级机理研究明显不足。

目前,我国学者对于产业集群升级的研究文献主要以介绍国外产业集群升级为主,即使研究国内产业集群升级,大多也是停留在对客观现象的简单描述、特定产业集群成功案例的经验总结以及理想化的理论推断等层面上,真正结合我国国情,将产业集群视为一个复杂网络系统,给出相关理论假设或建构模型进行个案推论的数理验证方面还基本是空白,探寻产业集群升级机理的研究文献也非常少。

1.2　问题的提出

全球化背景下,我国产业集群如何融入全球生产网络,提升在全球价值链中的地位,分享全球化带来的利益和发展机遇,已成为我国学者和政府关注的焦点问题。产业集群升级战略是提高产业集群竞争力,应对全球化挑战的重要举措。鉴于产业集群升级研究的紧迫性和必要性,本书拟从创新网络视角来探析影响产业集群升级的因素,明晰产业集群升级机理,期望能对我国产业集群升级的实践提出中肯的措施和建议。为完成这样的研究,本书致力于回答以下几个问题。

第一,什么是产业集群升级?为什么需要升级?升级的本质、类型与维度是什么?对这些问题的回答是深入分析产业集群升级影响因素的前提条件。因此,本研究需要在借鉴相关理论的基础上,界定产业集群升级的内涵,揭示产业集群升级的本质,明确产业集群升级的类型与维度。

第二,为什么以创新网络为视角来分析产业集群升级机理?因为创新网络对产业集群升级的作用已逐渐明显,其功能的充分发挥将对产业集群升级产生重大作用,而学术界对产业集群升级的研究大多还停留在产业集群外在的全球价值链和产业集群成功案例的经验总结以及理想化的理论推断等层面,缺乏从产业集群内在的创新网络视角出发,结合产业集群具体升级实践进行的深入的产业集群升级机理研究。本书通过分析创新网络构成要素对产业集群升级的影响,来明晰创新网络对产业集群升级的作用机理,同时也阐释了以创新网络为视角研究产业集群升级的意义。

第三,基于创新网络视角的产业集群升级机理是什么?创新网络是如何对产业集群升级产生影响的?这是本书要解决的核心问题。本书将根据创新网络的构成要素对产业集群升级的直接影响和间接影响,构建"网络结构—创新行为—产业集群升级"的模型,深入剖析网络结构通过主体创新行为对产业集群升级产生的间接影响和主体创新行为对产业集群升级的直接影响,从理论上明晰创新网络视角下产业集群升级机理。

第四,如何通过实证来验证产业集群升级的理论?本书结合产业集群升级的机理提出相应的理论假设,并在此基础上根据调研获取的来自辽宁省不同产业集群的218家企业的有效样本数据,主要应用结构方程模型来验证理论假设。

上述主要问题的解决建立在对以下问题阐释的基础上。

首先,什么是创新网络?其特点、构成与功能是怎样的?以往的创新网络研究缺乏与主体关系的界定和对产业集群绩效影响机理的分析,而且也没有关注创新网络中各构成要素对产业集群升级的战略意义。作为本书研究的前提和起点,本书需要明确并解答创新网络的内涵、特征、构成和相应的创新机制。

其次,选择产业集群企业作为产业集群升级实证研究对象的依据是什么?目前关于产业集群升级的研究主要关注的是产业集群整体层面,大多以产业集群为基本单位,采用"就产业集群而论产业集群"的方法,深入而系统地从微观的层面对产业集群升级的研究非常匮乏,这种产业集群整体性的分析难以从微观的企业层面真正揭示产业集群升级的机理,并且对产业集群升级的实践难以进行有效的指导。鉴于产业集群企业的创新是产业集群升级的微观基础和根本动力,本书在实证分析中以产业集群企业为研究对象,通过实践调研获取第一手数据,应用多种统计分析方法,不仅验证并明晰了产业集群升级的理论模型,同时也从实证结果的分析中阐释了对产业集群升级的启示。

本书希望通过回答上述问题,明晰创新网络视角下产业集群升级的机理,为地方政府产业部门和决策机构在制定和实施产业集群升级的有关政策时提供科学依据,为我国产业集群升级的实践提供可操作性的参考建议。

1.3 基本概念界定与说明

1.3.1 产业集群

1. 产业集群的内涵

近年来产业集群这种独特的产业空间现象成为理论界多种学科领域的研究热点,不同研究领域的学者为产业集群赋予了不同的内涵,尽管视角不同、各有侧重,但总体上这些内涵都指向的是同一区域经济发展现象。

关于产业集群的研究,最早是源于马歇尔提出的"产业区"的概念,他认为产业区由具有经济和社会属性的小企业群落构成,这一概念的提出使人们开始关注"产业区"现象。Bacattini 等一些经济学家提出"新产业区"概念,认为新产业区是指具有共同社会背景的人们和企业在一定自然地域上形成的社会地域生产综合体。Piore 和 Sabel 认为新产业区内的企业之间合作密切而且专业化程度高,是高度柔性化的区域。Scott 认为产业区的本质是"弹性专精",它是生产商基于劳动分工而结成的网络。Pyke 和 Sengenberger 认为新产业区是大量的企业通过实行专业化分工来生产同一产品,是具有适应性和创新性特点、具有地理边界的生产系统。

除了上述与产业集群内涵相关的表述以外,在各类文献中还有一些类似的定义,在此不一一赘述。尽管不同领域的学者从各自的视角对产业集群的内涵和外延有多种描述,但迄今为止产业集群的内涵和外延始终没有定论。1990 年,迈克尔·波特教授第一次明确提出了产业集群的概念,他认为"产业集群是某一特定领域内相互联系的企业及机构在地理上的集聚体",产业集群是由纵向以及横向关系中与合作竞争有关的实体以及发挥相应功能的政府和其他机构构成的。由于波特的定义明确了产业集群地理集聚的特征,在对产业集群内在结构的分析中强调了各相关企业以及利益相关者的重要性,因此,波特的定义被公认是对产业集群内涵较为全面的阐述。

2. 产业集群的特征

产业集群是大量专业化企业以及发挥相应功能的政府和其他机构在某一特定领域内集聚而结成的密集合作网络。作为根植在不断创新的社会文化环境下的产业集群,其一般具有以下特征。

(1)中小企业为主

产业集群外部规模经济的基础是大量中小企业在地理上的集中,尽管随着产业集群的发展,产业集群中也有大企业和跨国公司存在,但众多专业化中小企业仍是构成产业集群的基础。

（2）根植性

产业集群企业在地理上的邻近使产业集群的产生与发展势必受到当地各种文化、制度、习惯、价值观和各种社会关系的影响,这种强烈的地域性的传统和力量不仅是产业集群产出和发展的根基,也是产业集群发展所需要的资金、技术、人才、物质等生产要素的纽带。产业集群的各种网络关系和企业活动与所在区域的社会、文化、政治息息相关,企业的地方根植性直接影响着产业集群的稳定和发展。

（3）弹性专精

由于产业集群内企业的生产技术、生产经营模式和生产组织方式往往具有可分性和灵活变化性,因而产业集群企业的专业化分工、相互间的协作较为灵活多样。

（4）本地化合作网络

产业集群内各种组织以生产系统为基础,通过正式与非正式的联系建立起合作互信的网络,促进了产业集群知识的获取。

（5）创新性

产业集群企业地理的邻近、共同和相近的背景以及生产的专业化为知识的转移、传播提供了渠道,利于产业集群内企业密切交流,加快知识转移的速度和效率,形成良好的学习和扩散机制。

在上述几种产业集群特征中,本地化合作网络和创新性是产业集群的核心特征,是产业集群实现持续增长的基本保障。

1.3.2　产业集群升级

1. 产业集群升级的内涵

有关产业集群升级的概念最早是由 Gereffi 提出的,他认为产业集群升级是指产业集群企业从全球价值链低端向价值链高端环节迈进的过程,实际上也是企业走向资本密集型或技术密集型领域的过程。Humphrey 和 Schmitz 认为产业集群升级就是在价值链治理下产业集群提升在全球价值链上获取附加值的能力。

Porter 在对发展中国家考察后,认为产业集群升级就是通过更有效率的生产或更高技术的环节制造出更好的产品,因此,产品、效率和生产环节是产业集群升级的三种主要形式。Pietrobelli 和 Rabellotti 认为产业集群升级表现为产业集群获得更多的附加值,而产业集群附加值提高的关键因素是创新。魏杰从全球价值链角度提出,产业集群升级的表现是产业集群通过产业价值链的低端环节向高端环节延伸而获取高附加值能力的提升。谢先达和曹群等认为产业集群的持续性发展就是产业集群升级。项星认为产业集群升级既包括产业集群内部主导产业的升级,也包括产业集群内部产业组织结构的升级。刘芹认为产业集群升级主要是通过加强产业集群内部企业间的合作,同时也加强与产业集群外部的沟通来获取更多的产业集群外部知识资源,从而促进产业集群创新能力和产业集群获取更多价值的增值能力的提升。梅丽霞等认为产业集群的升级表现为产业集群在技术创新能力及系统、外向关联、社会资本方面的升级,实际上就是提升在全球价值链中获取较高附加值的能力。此外,潘利、刘锦英和段文娟等均认为产业集群升级是指创新能力的提升。

2.产业集群升级与产业升级的联系和区别

为了更清晰地理解产业集群升级的内涵,需要明晰产业集群升级与产业升级的联系和区别。产业升级一般是指产业的结构层次和发展水平由低层次向高层次转换的过程,这一过程既包括产业产出总量的增长,也包括产业结构的高度化。

两者的联系主要表现为:产业集群升级是产业升级的一种具体形式,产业集群升级意味着产业集群内所包含的主导产业和相关的配套产业的升级,而产业升级中行业内部的结构升级主要就是指主导产业的升级。鉴于产业和企业是构成产业集群的基本单位,因此产业升级的理论仍可作为分析产业集群升级的一种理论出发点。

两者的区别主要表现为:产业升级和产业集群升级的理论基础、政策制度的主体以及政策的着力点是不同的。首先,从两者的理论基础来看,产业升级的理论基础主要是经济学,而产业集群升级的理论基础涉及经济学、管理学、社会学、地理学等诸多学科;其次,由于产业升级关系到一个国家产业结构的调整、优化、国民经济发展与国家竞争力等问题,因此产业升级发展规划和政策等基本都是由国家来制定,而产业集群一般是相关产业和企业在局部区域的集聚,因此有关产业集群发展、升级等优惠政策往往是由当地政府制定;最后,国家产业升级政策的制定是重点扶持战略产业,加速产业结构的升级,实现产业结构的高度化,而地方政府有关产业集群升级政策的制定往往着眼于短期利益及政绩方面的考虑,大多数是产业集群危机发生后的补救措施,没考虑到产业集群政策的系统性和连续性,以及与产业集群竞争力的内在关系。

1.3.3 创新网络

1.创新网络的内涵

由于创新网络首先是网络,因此要界定创新网络的内涵,需要了解网络的概念。

网络的概念起源于20世纪六七十年代,最早由威廉姆森提出,他将介于市场和企业之间的中间组织形态称为网络。Harkanson认为网络是由行为主体、资源和活动三个要素构成,网络是行为主体在主动或被动的活动中获取资源,并在资源的流动中形成的彼此之间的各种正式或非正式关系。盖文启认为网络是各行为主体在交换、传递和获取各种资源的活动过程中建立的各种关系的总和。从制度经济学的视角来看,网络被认为是一种介于市场和科层中间的治理结构。网络与市场和企业的区别表现为:网络反映了相互选择的伙伴之间的双边关系。网络化则是指网络主体构建网络的动态过程,具体包含在构建这一组织结构过程中行为主体间的相互信任、合作以及行为规范。合作伙伴相互间的信任、具有长远利益的目标、在知识和技术上的相互依赖极大地抑制了短期的机会主义行为,保证知识、能力以及交换资产的质量,降低交易费用。

到目前为止,创新网络作为网络的一种,还没有统一的定义,国内外学者大多从网络与创新的关系入手来说明创新网络的内涵。美国著名的社会网络学家 Burt 是最早研究网络与创新关系的学者,他认为社会网络中信息与社会影响的传播对技术创新扩散过程有显著影响。Imai 和 Baba 认为创新网络是应付企业之间创新合作关系的一种网络架构和基本制度。Lundvall 指出生产者、政府、产业与学术团体、用户在创新活动中的交互过程就是创新网络。尽管这些学者使用社会网络、组织之间交互作用说明了创新网络内涵,但都没有明确使用创新网络的概念。

Freeman 第一次正式提出创新网络概念,他认为"创新网络是为了系统性创新的一种基本制度安排,网络的形成是为了响应组织对知识的需要",企业之间形成的创新合作关系构成了创新网络架构的主要连接机制。Freeman 强调技术创新必须与组织制度创新相结合,他认为产业集群知识溢出效应是产业集群创新、生产率提高以及产业集群经济增长的源泉和根本动力。Koschatzky 认为创新网络是一个非正式的、隐含的、相对松散的便于集体学习和知识交流的内部联系系统。Rosalba 指出创新网络能够反映公司之间的学习、创新、研发合作方式以及经营管理水平、技术能力和市场定位。王缉慈认为创新网络是"有组织的市场",产业集群内以企业为主的各行为主体在发展中结合成合作的网络,在进行以经济交流为基础的各方面的交流中使劳动力、资本、新知识、思想、技术和信息在网络中顺畅地流动、扩散、创新与增值,并大大地降低了交易费用。王大洲认为创新网络就是企业在技术创新活动中所形成的各种正式与非正式关系。李新春认为创新网络是指在知识、技术、信息的积累、创新、扩散与交流过程中,各方为获取新技术开发的市场利润而形成的各种正式与非正式关系。王道平等认为创新网络是指各行为主体之间的相互联系、协同创新而形成的正式与非正式关系的总和,而且主体间的创造性协同效果和创新资源的配置能力是创新网络创新功能实现的关键。

结合上述国内外学者对创新网络的定义,本书认为创新网络就是企业为获取创新资源和实现创新目的而与其他行为主体形成的各种正式或非正式的关系总和。

创新网络的内涵主要包含以下方面的内容。

第一,创新网络由主体、创新资源和主体创新行为三个基本要素构成。

第二,创新是创新网络的目的和功能,产业集群内主体的活动就是通过获取或利用创新网络内的各种资源开展创新活动。

第三,知识尤其是隐性知识是创新网络的关键资源。

第四,创新网络节点间长期的互动、不断重复的交流和技术创新活动是创新网络运行的特征。

第五,创新网络的主要形式既包括产业集群内基于设计、开发、生产等形成的正式关系,也包括基于文化、社会网络关系而形成的非正式关系。

2. 创新网络的基本特征

第一,多元互补性。创新网络的行为主体主要有企业、大学及科研机构、中介服务机构、金融机构、政府及公共部门等。由于不同主体所拥有的资源是不同的,因此他们所承担的创新职能、进行的创新活动也不相同,形成多元主体的异质性,而这种异质性大大降低了主体在物质和信息等各类资源的整合中产生的各种风险,有利于多元主体之间形成互惠互利、优势互补、互相促进、共同发展的关系,产生"1+1>2"的优势互补的协同效应。

第二,开放性。创新网络内的各行为主体处在一个内外开放、整体不断创新的系统中,不仅相互之间需要沟通合作以获取产业集群内的知识和其他资源,而且需要通过多方位、多层次不断与产业集群外沟通联系,来获取产业集群外的知识和互补性资源,只有内外开发,尤其是坚持对外界资源的开发,才能长久保持产业集群的竞争优势。

第三,动态性。创新网络的主体、创新资源、主体创新行为三个构成要素本身就是动态的。首先,产业集群主体是动态的,创新网络的主体的进入和退出是经常发生的行为,并能引起创新网络结构的变化;其次,创新网络内的资源是动态的,产业集群创新的实质是集体学习和知识资源流动的过程;最后,产业集群内的主体创新行为是动态的,产业集群要提高创新能力,实现创新目的,就必须不断地促进产业集群内外的知识的扩散、获取和学习,以此提升产业集群整体的技术水平和创新能力。

第四,学习性。创新网络内的各主体间的联系会加速信息和知识的流动,袁志刚认为产业集群内各行为主体之间的集体学习的动态的累积过程也正是创新网络功能的体现。网络中的主体创新能力的提升和竞争优势的保持,均需借助产业集群创新网络,通过获取、消化、利用知识来实现。

第五,根植性。创新网络内的各主体基于血缘、地缘及人情等形成关系网络,相同或相近的社会文化背景、共同的圈内语言、背景知识和交易规则使产业集群主体的行为具有很深的根植性,易于产生聚合效应,有助于增强彼此间的信任,促进知识在更广的区域范围内共享与流动,从而增强网络整体的创新能力和活力。

第六,协同竞争性。创新网络各行为主体间是既协作又竞争的关系,产业集群创新模式下各行为主体间的互动合作是在相互信任的氛围下进行的。由于追逐利润是企业的本质,企业间的竞争必然存在,因此产业集群内部各主体之间的合作也是在竞争基础上的合作,这种协同竞争为产业集群的持续创新提供了不竭的动力,协同竞争模式也成为创新网络下的一种竞争模式。

1.4 研究思路与研究内容

1.4.1 研究思路与框架

在产业集群面临危机,迫切需要升级的现实背景下,本书提出创新网络视角下产业集群升级这一研究主题。本书遵循"理论分析—实证研究—理论总结"的研究思路,以产业集群演化理论、产业集群竞争理论、产业集群升级理论以及创新网络等理论为基础,从网络结构、创新行为和产业集群升级的分析入手,从产业集群企业的角度分析创新网络视角下网络结构、创新行为对产业集群升级的影响机理,构建三者之间作用关系的理论模型,揭示产业集群升级的内在机理,并对理论模型进行实证检验、分析与讨论,结合产业集群升级的实践,从企业和政府层面提出相应的对策建议。

本书的研究思路与框架如图 1-4 所示。

1.4.2 研究内容

本书研究内容包括以下六章。

第 1 章"绪论"。首先,在阐述研究的理论、现实背景与意义的基础上,提出本书所要研究解决的问题;其次,对基本概念进行界定与说明;再次,说明研究的思路与研究内容;最后,介绍研究方法与创新点。

第 2 章"文献述评"。在对产业集群、产业集群升级和创新网络相关理论梳理的基础上,对这些研究的成果进行评价,为本研究夯实理论基础。

第 3 章"创新网络视角下产业集群升级机理研究"。首先,分析创新网络构成要素、创新机制以及创新网络的演化过程;其次,界定网络结构、创新行为和产业集群升级的内涵和维度;最后,构建创新网络视角下产业集群升级总体理论模型,深入剖析"网络结构—创新行为—产业集群升级"的影响机理并提出相应的理论假设。

第 4 章"创新网络视角下产业集群升级的实证分析"。首先,对变量进行测度并说明样本数据的调查方法与情况;其次,在对 218 家产业集群企业的调研的基础上,运用 SPSS、AMOS 软件对样本数据进行统计分析与检验;最后,建立结构方程模型来验证理论假设。

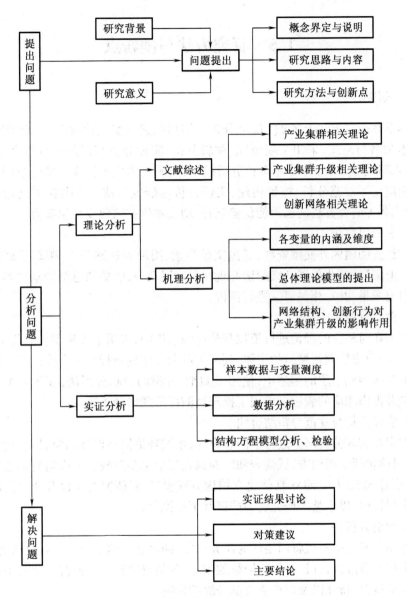

图1-4 研究思路与框架

第5章"实证研究结果的讨论与应用"。对实证研究结果进行分析与讨论,并得出相应的启示,结合产业集群升级的实践从企业和政府两个层面提出对策建议。

第6章"结论与展望"。总结全书的主要结论,并指出本研究的局限性及下一步研究的方向。

1.5 研究方法与创新点

1.5.1 研究方法

本书在研究方法上遵循"规范分析—模型构建—实证检验"这一经济学研究的基本脉络与范式,采用文献研究、逻辑分析、实证分析与规范分析结合、网络分析、技术路线等方法。本书中理论分析框架、问题具体化的体现和理论模型的验证就分别应用了规范分析、模型构建、实证分析等研究方法。本书在对问题的分析中,力求各种研究方法的运用能优势互补,增强本研究的效度与说服力。

1. 文献研究法

广泛查阅国内外文献资料,通过文献检索、阅读和梳理分析,跟踪了解国内外有关产业集群、产业集群升级的研究现状与发展动态,收集和总结创新网络理论的最新研究成果,并对相关研究进行评价。

2. 逻辑分析法

本书在对相应的理论进行梳理和分析的过程中,采用了多种逻辑分析的方法。比如,对产业集群创新网络的主体、创新资源和主体创新行为三个构成要素以及产业集群升级内涵本质的阐述中,使用了归纳、分类的逻辑分析法,在构建本书的理论模型并提出相应的假设中应用了推理和演绎的逻辑分析法。

3. 实证分析与规范分析结合法

本书在实证分析部分进行了问卷设计,根据理论模型设计相应量表,用于变量测量,具体包括访谈调查、试调查和问卷调查三个主要阶段。利用问卷调查获得的数据,通过 SPSS 和 AMOS 软件建立结构方程模型,对研究变量以及变量间的关系进行定量检验,以求整个研究更为严谨并更具说服力。

4. 网络分析法

本书在研究中不仅将网络作为研究对象,同时还把网络作为一种分析方法,将二者有机结合起来,分析了创新网络的主体、创新资源和主体创新行为三个构成要素之间的联系、特征以及对产业集群升级的影响。

5. 技术路线法

技术路线图如图 1-5 所示。

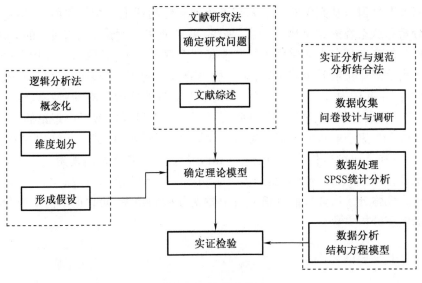

图1-5 技术路线图

1.5.2 创新点

本书在如下方面进行了积极的探索和尝试性的创新。

首先,由于现有产业集群升级研究大多是以产业集群外部的全球价值链视角来进行分析,强调产业集群升级求诸产业集群外部力量,忽略了产业集群的内在联系以及产业集群本身的创新功能,而产业集群升级的外部动力只有通过激发产业集群内部动力,才能形成产业集群升级。本书以创新网络为视角,深入剖析网络化创新对产业集群升级的影响,这在一定程度上弥补了现有产业集群升级研究缺乏从产业集群内在角度分析产业集群升级的不足。因此,研究视角具有创新性。

其次,本书在借鉴产业集群、产业集群升级以及创新网络相关理论和产业集群升级的实践的基础上,将产业集群视为一个创新网络系统,分析创新网络的主体、创新资源、主体创新行为三个构成要素对产业集群升级的影响,构建了"网络结构—创新行为—产业集群升级"的机理模型,并以此为研究路径进行了较深入的剖析,揭示了网络结构、创新行为对产业集群升级影响的内在机理,弥补了目前缺乏系统性和学术性研究产业集群升级机理的不足,为产业集群升级机理的研究提供了新的理论框架和模型。此外,针对有关创新网络与主体行为的关系界定还不清楚的问题,本书通过构建产业集群升级的机理模型,明晰了创新网络是受外部环境和内在构成要素两方面作用的实际情况。

最后,现有产业集群升级的实证研究基本上是以产业集群整体为基本单位,停留在对产业集群成功案例的经验总结以及理想化的理论推断等层面,大多以静态理论分析和状态性的案例描述为主,采用"就产业集群而论产业集群"的方法,缺乏从微观的产业集群企业层面进行产业集群升级的研究,导致这种分析和研究难以真正揭示产业集群升级的机理,对产业集群升级的实践难以给出切实有效的指导。此外,目前国内外关于创新网络结构功能对创新绩效影响的研究以定性分析为主,缺乏定量分析。本书以创新网络为视角,根据机理模型提出理论假设,以经过调研的 218 家产业集群内企业为调研对象,在实证研究中建立了结构方程模型,运用 SPSS 和 AMOS 软件验证理论模型和假设,揭示了创新网络视角下产业集群升级的机理,对产业集群升级的实践提出了切实可行的建议和对策。本书的实证研究一定程度弥补了产业集群升级分析中微观分析的缺失,同时也丰富了产业集群升级的实证分析方法。

第 2 章　文　献　述　评

有关产业集群、产业集群升级和创新网络的相关议题,国内外都有许多研究。本部分对产业集群、产业集群升级以及创新网络相关研究文献进行翔实的梳理,并对这些理论的贡献和不足进行评述。这些研究成果为本书的研究奠定了理论基础,本书的研究将在汲取这些前期研究成果的精髓的基础上展开。

2.1　产业集群相关理论述评

近20年,产业集群作为一种区域经济发展的特定模式在全球蓬勃发展,对区域经济的发展起到了极大的推动作用,因此有关产业集群的研究成为产业经济学、经济地理学、区域经济学、管理学、社会学等学科共同研究的热门课题。作者通过对国内外产业集群研究领域的文献进行梳理,按照该领域不同理论分支和流派的发展演化轨迹,介绍产业集群的形成和发展。

马歇尔是最早开始进行产业集群方面研究的学者,他首次提出“外部经济”概念,并将之定义为“有赖于该产业整体发展的经济”,认为企业在地理上集聚并形成产业区的主要原因就是“外部规模经济”。马歇尔认为产业区是由于外部性引起的,产业区理论为后来产业集群“技术溢出”和“知识溢出”的研究奠定了基础。

在马歇尔应用外部经济理论来解释产业区现象的同时,德国经济学家韦伯提出了工业区位论,他指出邻近原料产地、占据交通有利位置和企业规模扩大而形成的空间集聚是形成区域经济集聚的两个重要因素。韦伯的工业区位论实质上与马歇尔的产业区理论的分析是一致的。在马歇尔、韦伯之后很长一段时期内,在有关产业集聚研究方面,外部规模经济的观点一直主导学术主流。1991 年 Krugman 发表了以《收益递增与经济地理》《发展、地理学与经济地理》为代表的一系列有关经济集聚和产业集聚的论文和著作,并完全用经济学的方法对产业集群和经济的集聚现象进行解释和分析。

20 世纪 80 年代意大利社会学家巴格那斯科提出“新产业区”理论,该理论与外部经济理论有直接传承关系,Piore 和 Sabel 用“弹性专精”对马歇尔的外部经济理论进行了重新解释,并以此描述新产业区的生产特征。此外,新产业区学派将社会文化环境和历史传承等社会系统因素对于产业集聚和区域发展的影响引入产业集群理论研究的框架。

在上述产业区理论和外部规模经济理论研究的基础上,其他理论流派对产业集群现象也开始从自身的视角展开探讨。以科斯和威廉姆森为代表的交易费用学派和网络组织学派将其理论引入到产业集群的研究中,该理论的核心是将产业集群视为一种特殊的网络组织。该理论的网络组织学派还汲取了经济社会学中的根植性、社会资本以及由此衍生的信任度等理论来解释产业集群,认为产业集群因地理上的邻近和共同的社会文化背景而带来的信任性能够直接或间接地降低交易成本。马克洛伦通过实证分析,研究了产业集群内企业的信息成本特点,解释了在不同产业集群企业之间信任程度不同的原因和地理邻近与信息成本的关系。20世纪中期,新制度经济学奠基者科斯提出市场和价格不是配置资源的唯一手段的观点,他认为资源配置过程以及经济的组织活动是由市场和企业两种基本制度安排的,并且是市场的交易成本和企业的管理成本之间的权衡过程。1972年威廉姆森在《交易费用经济学:契约关系的规则》中指出,不确定性、交易重复频率和资产专用性这三个交易维度的特性不同,与其匹配的规制结构也不同。他认为可以根据这三个交易维度来判断交易费用的性质,从而选择相应的生产活动组织方式。

根据威廉姆森的理论,市场组织、科层制组织和“混合模式”构成了最基本的生产活动组织方式,而“混合模式”即后来 Powell 所称的“网络组织”。威廉姆森认为网络组织是介于市场与企业之间的一种组织方式,科层制组织、网络组织、市场组织这三种组织模式共同发挥了价格的互补优势。科层制组织、网络组织与市场组织的比较见表2-1。

表2-1 科层制组织、网络组织与市场组织的比较

组织特征	科层制组织	网络组织	市场组织
目的	中央执行者利益优先	合作者利益优先	增加交易场所
资产	专用性高、大型固定	专用性适度、柔性资产	专用性低
资源	松散资源	非松散资源	易于交易
垂直整合程度	高	中或较低	无
边界	固定、刚性	柔性、可渗透	不明显
产品	大量生产、规模经济	定制化规模、范围经济	大变化的现货合约

从20世纪80年代中期开始,创新理论和新社会经济学的“社会网络”理论被引入产业集群的研究中,并逐渐主导了区域经济、产业集群研究的方向。在创新理论学说中,有三个对其研究起重要作用的概念和相应的学派。

第一,"创新环境"的概念是由欧洲创新环境研究小组提出的,该学派借鉴了熊彼特的创新理论、马歇尔产业区理论和社会网络理论,强调良好的创新环境对创新主体间的相互协作和共同创新行为的激发作用。王缉慈认为创新环境是由制度、法规、时间等组成的系统,在这个区域系统下更注重系统内的创新主体之间的创新协同以及集体作用的发挥。创新环境学派大多数学者在强调"环境"和"地方化"对技术创新的重要作用时,都用"网络"一词来指代创新性组织。该学派理论的局限性是仅一般性地描述了产业区的外部性特征和创新行为,并没有针对当中的机理、过程做出更有说服力的解释。

第二,"竞争优势"的概念是迈克尔·波特在1990年出版的《国家竞争优势》一书中提出的,而且在其著名的"国家竞争优势理论"(也叫"钻石理论")中正式提出产业集群的概念,系统性地概括了产业集群的内涵和外延。以迈克尔·波特为代表的竞争优势学派将创新理论与区域产业发展进行直接关联,对产业集群理论进行了系统性的集成。迈克尔·波特提出了"钻石理论",并用"钻石模型"来解释促进产业集群形成的动因,以及产业集群的竞争力和创新活力。

第三,"区域创新系统"是近年来以Cooke为代表的区域创新理论研究的重要概念,该学派主要关注产业集群内部的学习、创新与创新扩散效应等问题,认为产业集群作为一种网络组织形式促进了企业之间信息与知识的交流,使企业间的交互创新在网络中得以实现,提高了企业的创新与扩散效率。王缉慈认为,本地的创新网络使网络内各节点能够实现协同创新,并融入创新系统中。

尽管上述三个学派在解释如何激发产业集群的创新优势、创新的源泉和创新过程机理时的侧重点不同,但三者均以创新作为产业集群研究的焦点。

近年来,从产业集群领域内各种理论的发展动态来看,大致可以呈现内向的聚焦深化和外向的衍生扩展两种动态。第一种内向的聚焦深化,即在已有研究的基础上,进一步深入探讨产业集群在创新过程中的内部机理,其中创新网络、社会网络理论得到更多的重视和应用。第二种外向的衍生扩展,即超越产业集群本身的界限,探讨来自产业集群外部的各种力量对产业集群网络化创新的影响作用。这种外向的衍生扩展研究是在经济全球化深入发展和全球价值链深入整合背景下产生的,在这一过程中,全球价值链等理论和产业集群升级的研究成为新的有关产业集群研究的热点。

总体来看,以创新为导向的合作关系事实上已经成为产业集群研究的主流。许多学者对"创新网络"这一概念的正式定义和重新解读表明了产业集群的研究进入了新时期。创新网络继承了创新环境、创新产业集群和区域创新系统理论。有研究表明,"网络便于知识共享"的特性是"网络式创新"现象背后的更深层原因。Lundvall的互动学习理论和Hippel的"黏着理论"都体现了产业集群所带来的地理与知识源的邻近的优势,有利于产业集群内创新主体间更有效、更频繁地互动,有利于隐性和显性知识的传播与扩散。同时,学术界开始应用社会网络分析法以及研究工具对产业集群创新的理论进行实证分析,并将该方法应用到网络结构的分析中。魏江和叶波分析了文化嵌入性对产业集群的协同技术学习的正向影响作用。林竞君借助社会网络和社会资本理论,认为过度嵌入和网络刚性是产业集群走向衰落的主要原因。

2.2 产业集群升级研究述评

作者通过对国内外有关产业集群升级理论的梳理发现,对产业集群升级研究的视角可以分为外源化和地域化两个视角。目前对产业集群升级研究有较大影响的理论是全球价值链理论、钻石理论和新产业区理论,这些理论实际上就是分别从这两个视角出发对产业集群升级进行研究。此外,随着产业集群风险和产业集群升级压力的不断加大,有关产业集群升级的困境的研究也开始出现。

2.2.1 基于外源化视角的产业集群升级研究

20世纪末兴起的全球价值链理论是对产业集群升级研究有较大影响的理论,该理论首次在学术领域对产业集群升级做出了较为系统的阐述,并基于价值链的角度较好地概括了发展中国家产业集群升级的具体表现形式。全球价值链理论的核心是"治理"和"驱动力",具体包括市场型、网络型、半等级型、等级型四种治理模式和购买者驱动与生产者驱动两大驱动力。全球价值链理论的代表人物Gereffi等认为,经济全球化使产品价值创造环节分散于世界各地,形成全球价值链,价值链的各环节在全球呈现的离散分布的格局正是价值链片段化的具体反映。由于分离出去的各价值链片段通常是具有高度的地理集聚特征的产业集群,处于价值链不同环节时所蕴含的附加值也不相同,因此,处于全球价值链较低环节或从属部分的产业集群必须沿着价值链不断升级,才能获得持续的发展。

梅丽霞等认为,发展中国家实现产业集群升级的有效途径,就是通过嵌入全球价值链,从委托加工发展到自主设计和加工,最后实现自主品牌生产的升级。王缉慈、谭文柱、陈倩倩认为,从价值链的低端向高端发展和跨越是产业集群升级的两种路径。段文娟、聂鸣、张雄认为,由于价值链中各参与者的议价实力不均衡,发展中国家产业集群的升级会受到不同的价值链治理模式的影响。

除理论研究外,国内外学者也从实证角度对产业集群价值链升级进行分析。Sturgeon和Lester在对"亚洲四小龙"的产业集群成功实现技术创新和产业集群升级的因素分析中,得出其成功的关键是嵌入全球价值链和全球市场,并逐步切入

"制造＋设计"的升级模式,最终迈向实现自主品牌创新的高附加值环节。钱平凡通过对我国淡水珍珠产业集群的调查,认为我国淡水珍珠要实现做大做强的产业发展目标,必须通过强化产业集群效应并沿着全球价值链方向不断升级。贾生华、吴晓冰通过对浙江省产业集群升级模式的实证研究,认为浙江省传统产业集群能否充分挖掘"内部"和"外部"的优势实现成功升级,决定着其在日趋激烈的竞争中的生存与发展。

2.2.2　基于地域化视角的产业集群升级研究

在采用地域化视角进行产业集群升级研究时,首先需要明确地域化视角下产业集群升级的途径,其次为避免混淆产业集群发展与产业集群升级这两个相差甚远的概念,需要分析产业集群升级理论、产业集群演化理论与产业集群竞争力理论的联系和区别。对这些问题的研究将为创新网络视角下产业集群升级研究奠定理论基础。

1.基于地域化视角的产业集群升级的途径

产业集群升级的途径主要有内部途径和外部途径。外部途径是指通过产业集群外部的全球价值链实现产业集群升级的途径。内部途径是指通过调动产业集群内部因素实现产业集群升级的途径。地域化视角的产业集群升级途径主要是指内部途径。理论界认为产业集群升级的内部途径主要可以通过知识和技术的学习、组织结构的调整、创新网络的重构等途径加以实现。以贝路斯与阿堪基里、马歇尔、格兰诺维特等为代表的内部途径理论研究者认为,内部途径是指产业集群内企业不断加强与其他机构的合作,充分发挥产业集群内部创新网络和人际关系网络的作用,通过对理论知识和技术的不断学习提高产业集群的创新能力,促进产业集群的升级。张杰和刘东从组织分工角度将我国地方产业集群分为蜂窝型、专业市场领导型、主企业领导型和混合型四种形态,并以此为基础推演了基于不同组织架构和分工协作体系的我国地方产业集群技术创新能力提升的途径与升级路径。余明龙根据产业集群内企业间联系的差异,将产业集群分为市场型、中卫型和混合网络型三种产业集群组织形式,从产业组织调整的角度提出了产业集群升级战略和促进产业集群升级的对策。李冰认为,实现产业集群升级具体有四种途径,即提升产业集群技术能力、提升产业集群创新能力、强化产业集群外向关联和优化产业集群社会资本。

2.产业集群竞争力理论与产业集群升级理论

关于产业集群竞争力的研究主要是从因素、结构和能力三个视角来开展的。迈克尔·波特的"钻石理论"是从因素视角分析产业集群竞争力的代表性理论,迈克尔·波特认为企业战略结构、竞争者、需求状况、相关支持产业者是影响产业集群竞争力的主要因素。从结构视角分析产业集群竞争力有横向结构和纵向结构两种观点,横向结构观点认为产业集群竞争力是由网络密度、凝聚力、强度、网络基础设施质量及其功能差异化程度等构成;而纵向结构观点则认为产业集群竞争力是由企业、产业集群及国家三个层面的竞争力构成。从能力视角分析产业集群竞争力的代表人物是 Lynn 和 Fulvia,他们认为产业集群竞争力是通过产业集群的创新能力来体现的。张帆强调了产业集群内的大学、科研机构以及提供技术服务的中介机构对产业集群竞争力的重要性,认为产业集群创新网络可以促进产业集群内各主体间的合作交流,发挥大学、科研、技术服务等机构的整体功能作用。

可见,对于产业集群升级的研究,从产业集群竞争力的影响要素入手是有扎实的理论基础的,同时也是可行的科学的方法。总的来说,产业集群竞争力是产业集群升级的基础,它衡量的是产业集群的整体实力,而产业集群升级的目的就是维持和提升产业集群竞争力,在这一点上二者是一致的。结合产业集群竞争力理论,从创新的角度出发,可以总结得出以下两个促进产业集群竞争力提升的动力机制。

(1)网络化创新是推动产业集群竞争优势提升和产业集群升级的驱动力

由于产业集群企业在创新活动中所面临的环境的复杂程度、来自产业集群外部全球价值链上的压力以及产业集群企业间竞争的激烈程度都在不断提高,在这种"内忧外患"的情况下,如何更有效地整合产业集群企业内外部资源和要素,以保持产业集群持续的竞争力和竞争优势,成为产业集群内企业必须解决的问题。由于产业集群具有地方根植性和网络组织性的特征,这一特征使产业集群内成员更容易建立以信任和分工合作为基础的通畅的密集关系网络,形成利于产业集群企业与其他成员之间网络化创新的互补协调的产业集群创新网络,大大便利了产业集群成员进行资源的交流、分配和创新,促进了先进技术和管理经验在企业间的流动和传递。汪少华、汪佳蕾研究认为,创新网络是由企业、大学科研机构、中介机构、金融机构以及政府机构构成的,各构成部门之间的关系和结构情况直接影响创新绩效。因此,完善创新网络结构、促进网络内部各构成主体之间的交流是实现产业集群长期发展与升级的突破口。

(2)产业集群知识学习系统建设有利于产业集群竞争力的提升

产业集群内部、内部与外部间的知识流动和学习,以及产业集群基础性设施,共同推动产业集群升级。王能民和汪应洛在研究产业集群竞争力的来源与提升的手段中认为,产业集群内的知识转移、共享与创新、对产业集群外知识源的吸收是产业集群提升竞争力的主要知识来源,在产业集群内培育具有独占性与异质性的知识是产业集群创新能力保持和提升的重要手段,同时产业集群培育外部知识吸收能力,可以实现产业集群从封闭的知识系统向开放的知识系统的转变。由于创新网络除了以企业为核心的创新网络,还有对知识的生产和传播起辅助作用的,由大学科研机构和中介、政府等机构构成的辅助创新网络,因此在保持和提升产业集群竞争优势、促进产业集群升级方面,我们要更加注重有利于产业集群知识流动、吸收的系统和环境的建设。

3. 产业集群演化理论与产业集群升级理论

产业集群的演化研究与产业集群升级的研究两者几乎同时兴起,而且产业集群的演化研究可以从更为动态的视角揭示产业集群升级的内涵。学者们基于不同角度对产业集群演化阶段进行了划分。Tichy 将产业集群划分为形成期、成长期、成熟期和僵化期四个演变阶段,在不同的发展阶段产业集群的竞争力水平都不相同。Boari 和 Lipparini 等人提出了基于产业集群内部治理结构变化特征的产业集群演进的四阶段序列模式:准纵向一体化阶段、纵向依赖关系阶段、纵横双向互动关系阶段以及网络层级关系阶段。还有许多学者将技术创新、知识技术学习理论与产业集群演化结合起来,试图从更深层次揭示产业集群演变的动力因素和内在机理。Aichibugi 和 Michie 在对意大利新产业区演化过程的考察与研究中引入技术制度理论,认为在产业集群的演化过程中产业集群技术创新活动发挥了重要作用,传统产业集群模式在新科技制度、生产和贸易国际化、知识经济等新环境下受到强烈的挑战和冲击。Iammarino 在分析产业集群演化的不同模式和内在机理过程中,从产业集群外在的结构变化和内在的创新需求动力两个方面入手,并综合了交易成本和技术制度变迁理论。Krugrnan 认为知识外溢的创新驱动和学习驱动是产业集群演化的动力。

迈克尔·波特认为诞生、发展和衰亡这三个阶段是产业集群的生命周期演化过程的反映,处于动态演化过程的产业集群在受到外部威胁或内部出现僵化的情况下,也许会丧失竞争力。蔡宁等认为处于不同生命周期的产业集群会表现出截然不同的学习能力和竞争力,处于成长和成熟阶段的产业集群,学习能力、竞争能力和抗风险能力最强,处于衰退阶段的产业集群竞争力减弱,面临结构风险、周期性风险和网络性风险时将出现产业集群竞争力大幅下降甚至产业集群消亡的情况。

产业集群演化不同阶段与竞争力具体表征,见表 2 - 2。

表 2 - 2　产业集群演化不同阶段与竞争力具体表征

生命周期	竞争力表征
诞生阶段	竞争力初步显现,但缺乏稳定性:专业化水平高,成本优势明显;经济活力较强;创新能力不足;企业间结网效应较差,受环境影响较大

表 2-2(续)

生命周期	竞争力表征
成长阶段	竞争力迅速提升:生产灵活性和专业性更强;企业间结网效应逐步稳定,并发挥作用;创新能力提升;品牌优势凸现;开始提升产业集群适应环境和利用资源的能力
成熟阶段	竞争力巩固:标准化生产,规模效应突出;技术和人才大量集聚,自主创新能力强;参与国际市场竞争,占有领先的市场份额;产业集群品牌商誉很高;商务成本下降;能灵活规避环境风险和捕捉市场机会
衰退阶段	受到各种风险的冲击,发展活力不足;产品创新、国际市场竞争和适应环境变化等能力明显下降;竞争优势逐渐丧失

资料来源:根据相关资料整理而成。

产业集群演化理论对产业集群升级研究的支持与借鉴主要体现在两个方面:第一,反映产业集群演化成长过程的产业集群四个阶段的生命周期的划分,是产业集群升级研究的基础,产业集群从低级阶段到高级阶段的成长演化过程,从某种意义上来说就是一种产业集群升级。第二,产业集群在不同的生命周期阶段的竞争优势是不同的和变化的,它会随着产业集群内外部力量的改变而发生改变,因此处于产业集群发展的不同阶段的行为主体要维持或提升产业集群竞争优势地位,必须加强产业集群内成员间的知识技术联系和合作创新等,积极改变学习机制和创新模式,以达到升级的目的。

尽管产业集群演化理论为产业集群升级研究提供了支持与借鉴,但从本质上看,两者仍然有着截然不同的区别,主要表现在以下方面:第一,两者研究的侧重点不同。产业集群演化更侧重于客观方面的研究,主要是针对产业集群演化各阶段的客观现象以及内外部机制的描述和分析;而产业集群升级研究更侧重主观方面的研究,主要针对产业集群行为主体主观行为的研究。第二,两者的理论背景不同。产业集群演化的研究是以演化经济学理论为理论背景,秉承演化观的理论框架;而产业集群升级研究至今尚无这样的理论背景和研究框架。第三,两者研究内容不同。尽管产业集群生命周期的上升演变过程是产业集群升级的一种表现,但是除此以外产业集群升级还可以通过多种手段和形式实现。第四,两者考察的时间性不同。产业集群演化研究需要分析出产业集群各阶段的动态演进情况,必须有足够长的考察时期,因此时间是产业集群演化研究至关重要的一个因素;产业集群升级关注的是产业集群内主体的行为和行为产生的结果,它可以发生在产业集群演化的各个阶段,并且在相对较短的时期内就能完成一次升级。总之,产业集群升级不仅延长了产业集群的生命周期,而且提升了产业集群在演化的特定时间点的产业集群创新能力和竞争力。

2.2.3 产业集群升级困境研究

随着产业集群内部分工的细化和全球价值链整合的深入,产业集群在发展中所面临的风险以及产业集群升级所面临的问题也逐渐显露出来,为此,国内外学者针对该问题也开展了研究。庞德尔和圣约翰认为,在产业集群的动态发展过程中,产业集群的过度集聚会导致产业集群创新潜力、业绩和产业集群整体竞争力下降等情况的出现。Bent 认为,技术的重大变革尽管为产业集群的发展或新产业集群的产生创造了条件,但是新技术也会导致原有产业集群的技术锁定或产业集群衰退,甚至出现产业集群消亡的情况。Tichy 认为,一个区域过于依赖一个产业集群,会出现因产业集群内产业的衰退而拖垮整个区域经济的"结构性风险"。迈克尔·波特认为,在不存在全球价值链中国际竞争对手挤压的条件下,发展中国家产业集群发展的困难主要来自产业集群内部体系僵化、产业集群外部市场竞争环境的剧变。Grabher 认为,产业集群发展中的路径依赖和锁定效应是造成产业集群内部体系僵化的根本原因。

从我国产业集群的现实情况看,很多产业集群通常是通过仿冒创新者的产品或者打价格战等恶性竞争手段来应付日趋激烈的市场竞争,却很少进行自主创新活动,因为对于这些企业来说,选择模仿、仿冒比自己创新所需成本低、风险小、见效快。由于产业集群内部企业的过度模仿而导致的恶性竞争是制约我国产业集群升级的主要内部困境,产业集群内产品同质化过高、产业集群创新与升级动力不足是我国产业集群升级的最主要的障碍。仇保兴依据"柠檬市场效应"理论,指出产业集群市场信息不对称、缺乏足够的市场监管是导致恶性竞争发生的根源。叶建亮从知识溢出的视角出发,认为技术创新研发的超额利润会被模仿者的低成本优势竞争大大耗散掉,甚至会造成创新者的创新收益率低于平均资金回报率。企业之间关于开发和模仿的纳什均衡的博弈结果,必然是知识的开发和创新的不经济。企业不愿意进行知识的开发,要避免这种知识开发和创新的停滞情况的发生,需要将知识溢出率抑制在一定的小的范围内,或者实行一种补偿的机制,来维持产业集群整体持续创新能力。除了产业集群的内在因素,技术壁垒、社会责任标准和贸易制裁等所造成的国际贸易壁垒是当前困扰我国产业集群升级的主要外部因素。此外,Bent、Fritz、蔡宁等提出由于产业集群生命周期带来的结构性风险、由经济周期引发的周期性风险和产业集群体系僵化导致的网络性风险也是造成我国产业集群升级困境的原因。

2.2.4 产业集群升级研究评价

从现有研究成果看,全球价值链理论是从外源化视角对产业集群升级进行研究的主要代表性理论。该理论强调产业集群与外界的紧密联系,认为产业集群企业通过从全球价值链的低附加值的生产制造环节向高附加值的设计、营销等环节移动,才能获得更多价值增值,实现产业集群升级。尽管全球价值链理论较系统地阐述了产业集群升级行为及过程,其理论框架已经成为目前产业集群升级研究的主要理论工具,但是该理论在应用上还存在许多缺陷,主要表现为:首先,在剖析产业集群升级机理方面存在明显不足,该理论过多强调经济全球化对产业集群升级的外部动力因素的影响,而忽略了产业集群升级行为本身内因的决定性作用。实际上,无论产业集群受经济全球化因素影响是大还是小,由于产业集群内外部需求的变化,产业集群都存在升级的需求。其次,基于全球价值链的产业集群升级行为是以产业集群整体来分析升级,未涉及产业集群内部企业对产业集群升级影响的微观机理研究。最后,由于工艺流程升级、产品升级、功能升级和链条升级四种升级模式是连续的图谱,而全球价值链理论对这四种模式的划定过于理论化和抽象化,而且在实际区分和度量方面没有新进展,使后续的实证检验难以有效地开展。

可见,产业集群升级研究不能仅停留在产业集群外部,挖掘产业集群内部升级潜力显得尤为重要,因此从地域化视角出发的创新网络下的产业集群升级研究不仅与产业集群竞争力研究及产业集群演化研究有许多共通之处,而且有两大突破:一是揭示了产业集群创新网络通过完善网络结构,促进产业集群内部主体间的创新合作,对产业集群整体竞争力的提升和产业集群升级发挥了关键的作用;二是产业集群的演化、学习和创新等驱动机制为产业集群升级研究提供了理论支持。

2.3 创新网络研究述评

2.3.1 创新网络的理论渊源

与创新网络相关的理论研究可以分为两条主线:一条是以企业空间组织发展为主线的理论研究;另一条是以技术创新模式演变为主线的理论研究。以企业空间组织发展为主线的相关理论包括马歇尔的产业区理论、韦伯的工业区位理论、科斯的交易费用理论、巴格那斯科的新产业区理论、马克·格兰诺维特的新经济社会学和迈克尔·波特的竞争理论。这些理论都从不同的侧面为创新网络提供了理论支撑。下面,本书主要阐述以技术创新模式演变为主线的相关理论。

熊彼特是首次提出创新概念的学者,他认为创新是指企业对生产要素的新的组合,他把创新作为一个新的独立变量来考察其对经济增长乃至社会变迁的影响。在熊彼特之后,随着创新活动的规模、复杂性以及创新活动对经济增长作用的日益扩大、增强,主流学术界将其创新理论引入新古典综合派的研究框架。随着创新理论的发展,有关技术创新模式的研究也构成了该理论的主要组成部分,根据 Rothwell 对产业创新模式的划分,关于技术创新模式的研究主要有以下五种。

1.线性的技术推动创新过程模式(图 2-1)

图 2-1 线性的技术推动创新过程模式

该模式下的技术创新是以线性的技术推动为主,主要发生在 20 世纪五六十年代,由于当时产品生产的增速赶不上产品需求的增速,产品供不应求。因此,市场作为科研成果的被动接纳者并没有引起人们的重视,于是技术推动型的创新模式出现。

2.线性的市场需求拉动创新过程模式(图 2-2)

图 2-2 线性的市场需求拉动创新过程模式

该模式下的技术创新是以市场需求推动为主,主要发生在 20 世纪六七十年代,当时生产力水平显著提高,新产品不断开发,企业为获取更多的市场份额,需要不断开辟新的市场,此时在研发创新活动中开始重视市场的需求,于是市场需求拉动创新模式出现。

3.技术与市场的耦合互动模式

该模式下的技术创新是以技术和市场需求联合推动为主,进入 20 世纪 70 年代后期,人们认识到单一的线性的技术推动创新过程模式或市场需求拉动创新过程模式过于简单和极端化,在创新活动中,二者都应发挥重要的作用,于是出现了技术与市场的耦合互动模式。

4.一体化模式(整合模式)

该模式下的技术创新是以整合推动为主,即研发与制造活动的一体化、上下游企业密切合作以及企业间横向联系,主要发生在 20 世纪 80 年代早期至 20 世纪 90 年代。当时基于时间的竞争显得至关重要,核心业务、战略问题以及一体化或整合开发受到格外关注,一体化模式(整合模式)出现。

5. 系统集成与网络化创新模式(图 2 - 3)

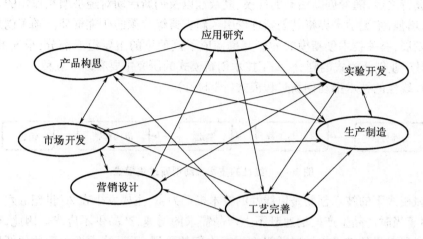

图 2 - 3 系统集成与网络化创新模式

这一模式的主要特点是技术创新过程的系统集成与网络化,创新成为多机构参与的网络化过程,表现为:产学研密切联合、企业之间更紧密的战略技术联盟。该模式主要出现在 20 世纪 90 年代,至今仍是主要的创新模式。进入 20 世纪 90年代,先进的信息通信技术使各种有形与无形的网络的联系更为便捷,企业只有充分利用这些资源进行集成化和网络化的创新,才能在激烈的竞争环境中提高创新绩效。

从以上技术创新模式可以看出,线性的技术推动创新过程模式和线性的市场需求拉动创新过程模式没有反映出创新产生的复杂性和多样性。技术与市场的耦合互动模式虽然在线性模式的基础上增加了反馈环节,但基本上还是机械的反应式模式。一体化模式、系统集成与网络化创新模式的出现实现了技术创新理论与实践上的飞跃。

2.3.2 创新网络研究综述

1. 创新网络与竞争优势关系

马歇尔是最早开展网络与创新关系研究的学者,马歇尔指出产业集群中"创新的空气"促进了产业集群企业的更新和发展。德布雷逊和艾姆塞认为创新网络是企业赖以生存的基础,因为创新网络不仅可以克服单个企业从事复杂技术创新活动的能力局限,而且可以降低创新活动中的技术和市场不确定性,加强了企业从中获取收益增长的可能性。创新网络的空间配置情况直接影响其功效的发挥,一般来看,基于地理邻近的本地化的产业集群创新网络比跨国技术联盟更易带来可以维持并强化创新网络的支撑因素。Christian、Hagedoom、Hendry 和 Brown 均认为产业集群内的创新网络有利于产业集群内企业获取促进自身发展所需的新知识,并进行产品开发创新,以增强技术创新的能力和创新优势。Capello 研究发现,区域内主体之间的互动联系过程实际上也是集体学习的过程,这种集体学习有利于企业间的互动和产业集群企业的集聚与持续发展。Amin 认为,对于增进合作、促进学习和创新活动来说,企业与其他组织之间的关系同企业之间的关系同样重要。Asheim 认为区域创新系统主要由区域主导产业集群中的企业、支撑产业的制度基础结构这两类主体以及他们之间的互动构成,而区域创新系统的形成是以产业集群内企业之间更多的创新合作和有力的制度基础为基本条件。

盖文启提出创新网络对产业集群创新优势与竞争优势的提升发挥着重要作用。蔡宁等认为,产业集群内部主体间的互动和互补与产业集群自身的根植性和网络性特征密切相关。创新网络能够促进集体学习、降低创新成本与风险,它是产业集群长期竞争优势的基础。黄中伟指出,创新网络的结构能够使产业集群信息和知识流动的渠道更加畅通,促进知识的传播扩散,提高了创新绩效。王缉慈认为,由于单个企业难以独立完成多数关键性创新,因此产业集群内企业间的创新合作是地区创新的主要来源。产业集群学习、交流的机制促进了产业集群内各组织间创新活动的协调,创新网络直接影响产业集群的创新能力和绩效的提升。王大洲认为创新网络有利于创新资源整合与共享,有利于营造开放的环境和浓厚的创新氛围,促进了产业集群创新能力的提升。李玲认为,创新网络中企业间联合和依赖的程度会影响企业在合作过程中的开放度,同时也会影响企业的合作绩效。贺灵从协同理论视角实证分析创新网络要素之间的协同能力对科技创新绩效的作用。

2. 创新网络形成动力研究

Capello 通过一个四阶段演化模型来分析产业集群网络的竞争优势来源,他认为产业集群企业间频繁的合作可以形成集体学习的环境,并由此产生正反馈,在这一过程中隐性知识的传播速度加快,增强了产业集群网络的竞争优势。Keeble 和 Wilkinson 等侧重分析产业集群内部的学习行为对高科技中小企业产业集群的创新行为、创新机理和产业集群创新系统的运行模式的影响。李建军应用生态学理论对硅谷高新技术产业集群的“产学”创新系统进行了分析,认为“产学”创新的触媒剂、持续创业的营养源、鼓励创业的支持性环境和相互依存的群体网络四种动力因素的作用是“产学”创新生态系统得以维持的主要依靠,“产学”创新系统所具备的显著的开放性、非平衡性和不可逆性的激励技术创新的正反馈机理,是硅谷产业集群可持续发展的基本保障。蔡宁认为众多中小企业在空间上集聚使得企业间的互动程度和学习动力都比较高,这种“产业集群效应”提高了群内企业的创新能力。魏江研究了产业集群创新系统的结构、联结模式对技术创新的影响,在对技术创新与产业集群学习的分析中,重点分析了产业集群技术学习的途径和动力机理。刘锦英、聂鸣分析了引起产业集群创新的主要原因,他认为经济利益和产业集群文化的共同作用是引起产业集群创新的主要原因。冯德连在对产业集群创新机理的研究中,将产业集群创新的机理分解为主体机理、动力机理和协调机理。吉峰、周敏认为创新网络行为主体在各自独立的前提下,要适应环境的变化,维持创新网络长久生存,各主体必须相互依赖、相互信任、真诚相待、信守承诺,这是促进创新网络行为主体共同发展的基础。郭舒等在研究企业信任机理变迁的一般性轨迹中,应用了交易成本和社会嵌入对信任机理进行了分析,揭示了在产业集群成长的阶段性和网络化背景下,产业集群信任变迁的轨迹。

3. 创新网络的动态演化研究

Anderssen 认为,创新网络各个参与主体交互过程中形成的关系与科层和市场关系不同,在交互过程中创新网络结构不断调整,在企业内外形成一个演化系统。创新网络内的行动参与者、活动以及资源随时间、条件的变化而变化,创新网络是一个不断变化的有机体。Arthur 和 Lindsay 基于复杂性理论对产业集群演进过程进行分析,指出产业集群各组成部分相互之间以及产业集群内部与外部的联系就是一种复杂适应性系统,而知识通过这一系统实现了传播扩散的过程,促进了产业集群内企业的创新,推动了产业集群的发展。产业集群的网络特征为知识在产业集群内部的创造、储存、转移和应用提供了肥沃的土壤,产业集群形成和发展的过程也是各类知识汇总交叉的过程,创新通常在这一过程中产生。Nunzia 将产业区的演化过程分为萌芽阶段、发展阶段和成熟阶段这三个阶段,而且不同的发展阶段的创新网络模式也各有不同。盖文启认为创新网络的演化过程可以看作网络不断结网和根植的过程。陈雪梅认为,产业集群创新的发展机制可以用企业在产业集群创新的动态演化过程中经历的内生和外生变化来解释,随着知识的积累,产业集群与创新呈明显的互动关系,知识的创新活动的随机模式逐渐转化为组织的制度化模式。陈继祥从正式关系和非正式关系网络两个方面对产业集群创新网络成长机理进行研究,认为在某种意义上非正式关系网络对创新网络的成长影响力更强。刘友金认为,产业集群集聚能力的不同是产业集群式创新网络演化的结果。张宝建等从社会资本与结构洞理论出发,并以西安高新区 LED 创新网络的发展过程来探讨创新网络的生成机制与进化模式。程跃从技术和市场两大环境的不确定因素入手,描述了萎缩、稳定、加强、动态平衡、紧缩和动荡六种创新网络类型,并在此基础上建立了创新网络演化模型。

目前仅有少数学者运用社会网络分析法或复杂系统理论对创新网络的动态演化进行研究。在分析中,社会网络分析只注重定量手段,却忽视了网络的非量化因素的影响；而复杂系统理论将创新网络看作一个反馈系统，忽略了产业网络本身的经济特性。因此，关于创新网络的动态研究还处于初级阶段。

4. 创新网络的社会网络分析

社会网络分析将网络作为一种分析工具来研究个人、企业或其他组织间的社会关系结构特性。乌爱其认为，采用社会网络分析法对产业集群创新网络进行分析具有重要的现实意义，该分析方法可以将网络组织的内在关系以及产业集群成员的行为通过网络结构表征和阐释出来。蔡宁等运用网络密度、网络连通性、群体中心性、小团体结构对产业集群网络结构进行刻画。邵云飞在对产业集群创新和企业创新影响因素的分析中，从网络整体结构特征和个体结构特征两个方面入手进行研究。黄洁通过网络结构的四个特征变量的变化，来阐释浙江省产业集群企业网络在不同发展阶段中的演化路径。

随着创新网络研究的不断发展，产业网络与社会网络对其共同影响作用日趋显著，理论界对创新网络的研究内容已经发生变化，由原来对宏观的产业集群整体层次的关注逐步转向对产业集群内部微观企业之间的知识扩散、集体学习、网络发展动态的关注，研究的核心是通过分析网络主体间关系的连接，从主体间关系及其结构出发来解释社会现象。

2.3.3　创新网络研究评价

创新网络既是技术创新模式演化的必然趋势，也体现了企业空间集聚以适应知识经济时代创新的重要特征。创新网络理论对社会现象的解释超越了传统的只注重主体属性的既有范式，创新网络可以从主体间关系及其结构出发来解释社会现象，在分析方法上超越或弥补了传统独立主体的分析方法。网络理论可以将组织内部和跨组织的资料同时纳入一个统一的分析框架下，同时解决了组织内部和跨组织层次问题。随着创新网络理论研究的深入和发展，该理论与产业网络和社会网络理论相互影响，研究的视角也由传统的规模经济、范围经济和专业分工等静态效率优势转变到网络成员的知识扩散、集体学习、合作信任和网络动态演化。研究内容也越来越多地由宏观的产业集群整体层次逐步向产业集群网络成员间的微观机理和动态演化过渡。

虽然创新网络理论研究取得了丰硕成果，但是现有研究也存在诸多不足，主要体现在以下三个方面。

第一，关于创新网络运行的动因研究不足。现有研究往往只关注创新网络这一既成的社会现象，却未能阐释其运行的动因，无法解释网络中主体的行为以及某些网络现象。

第二，关于创新网络与主体行为的关系界定还不清楚。在研究中，创新网络要么被看作主体的外部环境,要么被看作主体行为本身,没有明晰的界定。

第三,关于创新网络对创新绩效的作用机理阐释不清,定量研究也较少。目前国内外对于该问题的研究基本上是以定性研究为主,还未从定量上有效地揭示创新网络影响绩效的实现途径。

2.4　本章小结

本章分别对产业集群相关理论、产业集群升级理论和创新网络理论做了回顾。对于产业集群相关理论主要按照产业集群理论演化的脉络,梳理出产业集群形成和发展的轨迹,并提出产业集群目前的研究焦点和趋势。关于产业集群升级的理论主要从外源化视角和地域化视角阐释了全球价值链理论以及产业集群升级的路径,辨析了产业集群竞争力理论和产业集群演化理论与产业集群升级理论的关系,并评析了全球价值链理论在产业集群升级研究中的不足;对于创新网络理论,介绍了该理论产生发展的理论渊源,创新网络的形成动因、动态演化过程、与创新优势的关系和在社会网络分析方面的研究情况,并在此基础上进行评价。通过这几方面的理论评述为本书的后续研究奠定了良好的理论基础。

第3章　创新网络视角下产业集群升级机理研究

本书涉及的网络结构要素、创新行为要素和产业集群升级要素都属于多维变量,目前理论界对上述要素的内涵和维度划分还存在很大的分歧,不同的学者从各自的研究角度出发对各要素的内涵和维度进行划分。为了明确本书研究的基本逻辑,作者在对创新网络的构成要素和创新机制分析的基础上,确定了本书研究的各要素的内涵和维度,构建了创新网络视角下产业集群升级理论模型,深入剖析了网络结构、创新行为对产业集群升级的影响,并提出相应的理论假设。

3.1　创新网络的构成及创新机制分析

3.1.1　创新网络构成要素分析

按照 Harkanson 的观点,行为主体、资源和活动是网络构成的三个基本要素(图3-1)。本节将以 Harkanson 的观点为基础,对创新网络的三个构成要素——主体、创新资源、主体创新行为进行分析。

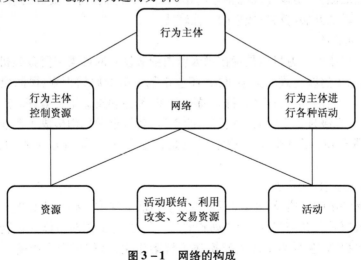

图3-1　网络的构成

1. 创新网络的构成要素一：主体

创新网络的主体（节点）主要包括以下方面。

（1）企业

创新网络中的企业是指各类原材料或半成品供应商、成品生产制造商、销售商以及其他相关互补组织。产业集群内的企业既包括本土企业也包括外资企业，企业无论数量多少、规模大小、所有制性质如何，它们都是企业网络中最重要的经济单元，是价值活动和创新活动最直接的行动主体，是创新网络分析的重要节点，以企业为中心节点的各种网络链接也是研究创新网络的出发点。

（2）大学及科研机构

创新网络中的大学及科研机构是指直接参与知识的生产、传播和应用，通过合作、教育以及成果转化等方式，为企业的创新活动提供各种新思想、新知识、新技术，有效地推动知识、信息、技术等创新资源在产业集群中的扩散或市场价值的实现的组织。大学及科研机构不仅向产业集群企业输送、培训人力资源，而且还为企业提供技术和管理支持，为产业集群主体之间的技术沟通交流创造条件，发挥了产业集群学习通道的作用。它是创新网络中参与创新的重要主体。

（3）中介服务机构

创新网络中的中介服务机构是指从事与创新活动相关服务的机构，主要包括行业协会、咨询培训机构、金融和法律服务机构等，它介于创新网络各主体之间，起到信息中转的桥梁作用和基础研究与应用研究的联结作用，不仅为创新活动主体提供专业化的服务，协调和规范企业的市场行为，而且促进了资源的有效配置，促进了创新活动的开展与科技成果的产业转化。

（4）金融机构

创新网络中的金融机构是指在我国境内依法设立的各类中资金融机构和外资金融机构，除了这些正式的金融机构，还包括创业家的原始积累、民间借贷等非正式融资渠道。它们都有自己的目标、局限性、时间性和投资组合偏好。产业集群的创新、发展与升级过程必须有各类资本的支持，各类金融机构构成了产业集群创新过程的支撑环境，而且金融机构本身也是产业集群创新过程中不可或缺的重要成员。

（5）政府及公共部门

创新网络中的政府及公共部门是指为创新活动提供基础设施和颁布支撑政策的机构。政府及公共部门营造了"创新的环境"，促进了创新主体的创新积极性和创新效率的提高，在行为主体之间扮演了桥梁作用，是创新网络中的一个基本节点。邵云飞、欧阳青燕指出，政企之间融洽的关系以及政府和公共部门高效的工作有利于产业集群内企业之间的协同创新的开展以及知识资源的传播整合。

　　总之,创新网络的各主体在产业集群创新活动中均发挥着各自的作用,而且各主体是相对独立的。其中,企业是创新网络中的关键节点,是直接参与创新活动的最主要的行为主体。大学及科研机构的创新知识、新产品、新思想只有渗透或落实到企业的生产经营中,转化成产品,才能通过市场实现价值,完成创新全过程。企业在各创新网络主体中处于核心地位。

　　2. 创新网络的构成要素二:创新资源

　　创新资源有多种划分,从网络角度来看创新资源包括知识资源①、资金资源、人才资源、技术信息资源以及物力资源等。创新资源是促进创新网络中的行为主体之间产生关系的媒介,只有借助这些资源的流动,网络中的各类行为主体相互之间才能通过产业集群内人才、知识、资金、信息等创新资源的流动及合理配置,推动技术创新活动的产生。

　　在创新网络中,各行为主体所进行的各种活动都需要借助资源的流动才能完成,其中技术、人才、信息等资源的流动归根结底都是知识资源的流动,知识资源既是创新资源的重要组成部分,也是产业集群升级的基础。按知识的传播特征,可将知识分为显性知识和隐性知识。显性知识是指能够清晰表达容易传递出来的知识,可以通过大众传媒直接获取的知识或技术,具有公开性、共享性、易于获取和易传播等特点。显性知识能通过多种大众传媒途径在广大的地域乃至全球范围扩散、流动,通常以书籍、资料、数据库、电脑软件、讲座、公式等形式存在并被获取、传播。隐性知识主要是指不能付诸文字、数字或公式等文本图示或表格形式的各类知识,是存在于个体中的、有特殊背景的、不能通过大众传媒传播和扩散的知识,具有高度专有性、经验性、认知性、地方性和家族性。隐性知识难以规范化,不易获取和扩散,它通常来自难以用正式语言表达的个人实践,表现为需要秘传的、身教的、意会的知识、技术、诀窍、工作和技术经验、办事能力、熟练的技能、技巧、社会关系等。由于隐性知识的有效传播、扩散需要双方有着共同或相近的背景、经验,建立在彼此相互信任等社会关系基础上,常常通过模仿、示范、非正式的"面对面"等方式来实现知识的传递。由于产业集群创新网络内主体数量众多,地理的邻近、共同的文化背景使隐性知识占产业集群知识总量的比例很大。有研究发现,隐性知识的特质决定其在某种程度上排斥产业集群内其他行为主体对其获取、分享,表现为一定的排他性,即具有不完全的外部性。技术知识、经验和生产技巧等隐性知识的获取对企业的创新是至关重要的,隐性知识是产业集群创新能力的根本所在。

---

　　①此处的知识资源,强调的是以知识、技术形式存在的有利于技术研发、技术创新、知识生产的一切资源。

3. 创新网络的构成要素三:主体创新行为

主体创新行为是指创新网络内的主体在正式或非正式的交流、沟通与接触中,彼此间知识、信息、技术的传播和扩散,以及获取资金、人才、物质等资源的活动。

行为主体的创新行为实际上也是获取创新资源,并使创新能力得到提升的过程。通常情况下,创新网络的主体创新行为具有动态性和双向性,相互间的行为是相互作用、相互影响的,如图3-2所示。

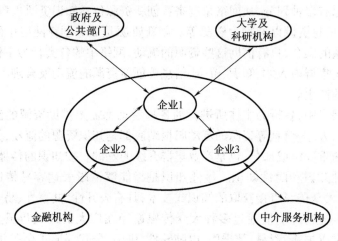

图3-2 创新网络主体创新行为的动态性和双向性

创新网络的主体创新行为的方式有多种,主要有以下方式。

(1)技术合作

随着科学技术的发展,市场竞争日趋激烈,一个企业仅靠自身的知识和技术积累是难以保持竞争优势的,必然要依靠企业外部的知识、技术资源。企业只有通过合作才能汲取其他企业甚至本行业的领先技术和方法,企业之间通过相互学习、交流,以促进知识、技术的传播、扩散、消化与利用,实现资源互补、协同创新。

(2)人才的流动

人才的流动是企业获取知识资源、进行创新的主要方式之一。研究表明,劳动力整体技能水平的提高取决于企业所拥有的高素质人才的数量。随着拥有专业技能、知识和创新意识的人才在企业间的流动,人才自身所拥有的专业知识和技能也会传播给企业,并通过新产品和新的制造工艺这种形式将知识技能转化为现实生产力。可见,人才的流动能加速并带动知识的传播、扩散和合理分配,促进企业创新绩效和经济效益的提高。

（3）模仿学习

在产业集群内，模仿主要指的是同行竞争者溢出的知识和信息，它是一种重要的知识溢出途径。模仿学习具体表现为：产业集群企业间签订正式的购买许可合同、非正式的观察、逆向工程。在同一产业集群内的企业，地理位置上的邻近使同行间的行为活动很容易清晰地暴露，为此，做好有关产品创新等信息的保密工作是相当困难的。类似商品展销会、新款展示活动等都可以传递出有关创新的信息，几乎所有的创新都是公开的、可自由传播的，每个企业都可以模仿学习，将创新技术引入到自己企业的生产过程中或运用它们生产更好和更有效益的产品。由于模仿学习可以大大降低模仿企业获取知识、信息等的成本和创新的风险，因此模仿学习是企业采取的非常普遍的获取知识的方式。但是现实中恶意仿冒、通过不正当手段和渠道的"模仿"，对产业集群整体创新能力的提升是不利的。

（4）企业间专利技术等无形资产的转让

专利技术属于知识型资产，而且一定程度上代表最先进的生产技术水平，对企业来说也是一种无形资产，企业间专利技术等无形资产的转让既是企业间知识流动和获取的渠道与方式，也是企业较常用的一种创新行为方式。一般衡量企业技术创新的水平和强度，需要考察该企业申请或引入的新技术和新产品的专利数。专利技术的转让为购进企业注入了知识，提高了企业的生产能力。

（5）广泛的市场调研

市场调研是企业获取知识资源的一种间接方式，它通常包括三种形式：第一种是市场调查，通过市场调查不仅能认识并学习其他企业产品的知识、技术含量及此类产品的生产工艺等，还能预测该类产品的未来发展趋势；第二种形式是走访调查，即企业通过面谈、拜访等形式向其产品的用户、供应商、销售商进行调查，通过这种走访获取其他竞争者情况以及其他知识、技术信息，有利于企业加强产品创新；第三种形式是通过互联网进行调查，随着网络技术的发展，企业大多在互联网上建立了自己的主页来征询客户意见、发布信息，同时任何企业也能通过互联网查询其他企业的信息。

（6）其他方式

除上述方式外，创新网络的主体创新行为还包括企业间员工非正式的交流、产品交易、出版专业出版物等，以此进行技术和知识的传递。

总之，以上创新行为方式都直接或间接地影响企业或产业集群的知识技术的积累、更新、流动，对产业集群的技术创新产生较深远的影响。

4. 创新网络构成要素的层次

弗里曼认为，企业间的创新合作关系行为形成网络构架的主要联结机制。产业集群内各行为主体相互间的正式、非正式关系也形成了各种关系链层次，构成了纵横交错的创新网络。创新网络的各行为主体获取创新资源的互动活动具有强烈的网络化特征,围绕创新网络的五类主体,从层次角度可把创新网络分为核心网络、辅助网络和外围支撑网络三个层次,如图3-3所示。

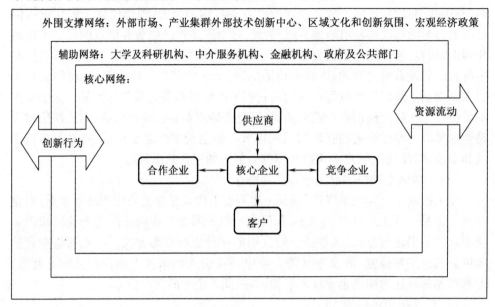

图3-3 创新网络构成要素的三个层次

核心网络是产业集群内企业与其在产业链上的相关企业在相互的沟通、合作等活动中形成的关系。这种关系在产业价值链上的竞争与合作关系表现为两种联结方式:第一种表现为供应商与客户之间在产业价值链上的垂直网络关系;第二种表现为核心企业与合作企业和竞争企业之间在产业价值链上的水平网络关系。核心网络内企业之间的互补、竞争、互动与共享关系既直接体现了经济价值活动的网络联系,又直接影响创新网络对动态发展环境的适应力。

辅助网络反映的是企业与大学及科研机构、中介服务机构、金融机构、政府及公共部门的合作关系。辅助网络可以看作是以企业为主体的核心关系链在企业外部的延伸,它在产业集群创新中的作用要通过与核心网络的连接来实现。辅助网络有利于增强主体之间的协作与信任,密切了主体间的联系,促进了各主体间的技术与知识信息交流,以及合作创新等活动。

外围支撑网络反映的是产业集群所在区域环境资源对核心主体与辅助主体的影响关系,表现为区域文化和创新氛围、外部市场等特性对产业集群内各行为主体之间的联系带来的影响。外围支撑网络可以促进产业集群内外知识的交融、互动和传播,有利于知识的传递、交换和技术文化的更新。

以上关于创新网络构成要素的层次描述主要反映的是主体间正式交流形成的"显性"的网络联系,但在创新网络中还包含非正式的或非经济的"隐性"的社会网络和人际关系网络,这些非正式的社会或人际关系网络能够动员大量的经济资源,完成许多正式的"显性"网络难以实现的经济活动。人们之间的共同经历、社会文化背景以及彼此的信任是"隐性"网络联系建立的根基,产业集群内部知识的传递与扩散大多是通过以此为基础的隐性网络进行的。

总之,创新网络内各主体之间在相互的交流、合作中使创新资源在各主体间流动并构成了由不同层次组成的网络体系,创新网络的形成就像是产业集群内部的血液循环系统,使产业集群内不同主体能够相互联结,并起到了调节产业集群内主体间生产和创新活动的作用。创新网络的结构、主体间的行为、资源的流动方式和渠道均会直接影响创新网络的创新,进而影响产业集群升级。

3.1.2　创新网络的创新机制

从上述创新网络的构成可以看出,创新网络的核心网络和辅助网络是创新网络的主要构成部分,由于不同部分的创新机制不同,其对产业集群创新以及产业集群升级的作用也不同。因此,本部分通过对核心网络和辅助网络创新机制的阐述来分析创新网络的创新机制。

1. 核心网络的创新机制

核心网络的创新机制主要是通过产业集群内企业间的模仿追赶效应、拉拢效应、挤压效应和产业集群学习效应来实现。由于核心网络内的企业彼此接近、了解,相互间的联结和影响较强,使网络结构体现出模仿追赶效应和拉拢效应。

模仿追赶效应表现为当网络内某企业一旦出现新产品、新技术或新需求,这些信息就会很快地在整个网络中传递、扩散。由于企业间竞争的加剧和攀比心理的作用,尤其是产业集群出现一个强有力的新竞争者时,一些落后企业容易模仿领先企业,而领先企业为保持竞争优势和领先地位会更加努力创新。

拉拢效应表现为互为支撑的产业或企业对其他相关的产业和企业的影响和带动作用,在这种"拉拢"带动下,产业集群内相对落后的产业和企业竞争力能够得到一定程度的提升。

挤压效应是核心网络的一种良性竞争机制,它表现为当产业集群内部分企业开展创新活动并产生创新成果时,在产业链上的相关企业会感到压力或受到影响,这种压力和影响督促了相关企业也要开展技术创新,这种挤压效应发挥了使产业集群企业在创新上实现联动的作用。由于相关企业在产业链上的关系不同,挤压效应具体表现也不同:对于在产业链上处于纵向联系的企业,一旦企业的供应商或销售商实现了在某一技术或领域的创新,就会调整或改变其投入产出系统,在这种挤压下,企业自然要做调整来适应供应商或客户的新需求,否则企业在与客户或供应商的关系中将处于被动地位,企业受到后者创新挤压的力度很大。对于在产业链上处于横向联系的同行竞争企业来说,竞争对手的创新挤压效应表现为:同行竞争者的创新成果往往会提高其产品的销量和市场占有率,这对无创新的企业会造成极大的威胁,使其面临市场份额减少甚至丧失的风险,在这种竞争对手的挤压下,非创新企业只有选择创新等方式来应对这种压力和危机。

产业集群学习是创新网络一种重要的创新机制。Neslon 和 Winter 认为,企业是吸收、积累、应用知识的实体,也是知识和能力的集合体,这种知识和能力在产业集群内随着知识在企业间的扩散、传播得到不断地发展。产业集群学习既包括各行为主体在产业集群内部之间的相互学习,也包括产业集群行为主体向产业集群外部的其他组织学习,而且产业集群学习既有正式的形式也有非正式的形式。当今,正式的研究与开发等产业集群学习形式已不能决定技术变化的主流,而各种非正式的研究与开发活动则影响甚至决定着技术变化的主流。企业间的互动与合作实际上也是企业学习效率和能力不断改进与提高的过程。产业集群作为一个开放性的区域生产系统,同产业集群外部世界的物流、资金流和信息流等诸多方面存在联系,如果产业集群企业的学习局限于产业集群内,那么产业集群内部相同或相似的技术知识会使企业形成学习上的依赖效应,"锁定"在陈旧的技术轨道上。努特鲍姆的研究表明,企业的学习利用"认知范围的外部经济",需要互补的外部知识资源。因此,产业集群的学习不能限于产业集群内部,还应从产业集群外部获取知识资源,通过吸收产业集群外部的知识来丰富产业集群知识的积累和更新产业集群内陈旧的知识,这点对于整个产业集群技术能力的更新和增长有着重要意义。

2. 辅助网络的创新机制

辅助网络的创新机制主要发生在企业和辅助网络中的各机构之间的知识流动过程,主要通过五种方式来体现:第一,高校、技校和专门培训机构为产业集群提供劳动力培训和教育。通过教育和培训使企业员工获得了新知识、新技能,营造了企业学习、创新的氛围,同时也调动了员工的创新积极性。第二,人才从辅助网络向产业集群核心网络的输送和流动。掌握新的思想、知识诀窍和技能的人才是企业创新活动开展的最重要的资源,人才的输送和流动促进了企业知识的更新。第三,大学及科研机构发挥知识基础设施建设功能。大学、科研机构除了具有人才培养教育的功能外,还具有为产业集群学习提供技术和管理支持的知识基础设施建设的功能,通过提供出版物或产业集群成员沟通场所等方式发挥着传递科学性、基础性的技术和知识的作用。第四,辅助网络机构通过安排学术论坛、专题会议、市场分析报告等正式的沟通方式使产业集群组织能够更多地了解最新的知识、技术信息和行业技术发展动向。第五,技术和管理服务。知识技术的外溢也是产业集群学习的有效机制,产业集群内各行为主体之间的集体学习能促进知识的外溢,而知识外溢机制的有效运行通常需要各种知识服务性机构承担相应的技术和管理服务。

3.1.3　创新网络的演化过程

根据创新的发展规律,知识累积由量变发生质变或各类知识汇集交叉的过程是最易产生创新活动的阶段。产业集群的根植性和本地合作的网络性特征为创新提供了肥沃的土壤,使产业集群与创新呈现明显的互动关系。可以说,创新网络是伴随着产业集群的产生、发展而逐渐形成、发展起来的,而创新网络的形成与发展又进一步促进了知识在产业集群内部的创造、储存、转移和应用,从而不断提高产业集群内部的创新产出,提高了产业集群的竞争力。在创新网络的形成过程中,创新活动从最初的随机模式逐渐成为组织的制度化模式。尽管创新网络会在产业集群的发展中自发形成,但这种创新网络并不必然具有较强的创新能力,更多的是处于初始阶段,其创新功能的充分发挥有待于不断地构建和完善。创新网络与产业集群相伴而生、相互发展促进,创新网络的发展状况在很大程度上影响着产业集群的持续发展与升级。根据 Tichy 对产业集群的发展的划分,可将创新网络的演化分为萌芽、成长、成熟、衰退四个阶段。

第一阶段是萌芽阶段,即创新网络的形成阶段。在此阶段,创新网络的主体、创新资源和主体创新行为三大要素的发展还不完备,表现为企业和科研机构的初步合作开发是脆弱的、随机的,而且没有中介服务机构介入,二者所形成的科研开发力量是分散的、无序的。从产业集群主体的集聚情况来看,相关企业开始以较缓慢的集聚速度向已经形成的产业集群集聚,但产业集群还未形成规模。产业集群内的企业之间相互信任度不高,网络的联结比较松散,创新网络内企业之间的联系沟通和交流的形式较单一,主要是通过企业间的竞争与合作来实现。由于创新网络的创新功能尚未充分发挥作用,产业集群企业和整体产业集群的知识基础很薄弱,而且主体间的交流与传播难以持久有效地进行,导致产业集群企业对新技术内在的消化吸收能力和创新能力都较低。

第二阶段是成长阶段,即创新网络的快速发展阶段。在此阶段,创新网络的各构成要素逐渐完备,产业集群内原有的企业大量衍生、产业集群外其他企业和相关机构大量涌入使产业集群规模迅速扩大,产业集群活力和集聚力不断增强。企业成为创新网络中的核心主体,企业与其他主体之间信任度增强,并逐步建立起较密切、稳定的合作关系,企业可以逐步利用创新网络内的人才、资金、知识技术等资源开展自主创新活动。在此阶段,政府加大了对产业集群基础设施建设的投入,中介服务机构为科研机构和企业的创新合作、创新成果转移提供的辅助服务日益完善。

随着产业集群和产业集群企业知识的不断积累,产业集群企业拥有了较强的知识基础,为企业的创新活动奠定了良好的基础。但是该阶段利于知识要素进行流动的机制和企业协作创新的文化氛围尚未建立起来,企业之间互动合作的强度、稳定性和持久性不够。

第三阶段是成熟阶段,即创新网络发育完善的阶段。此阶段产业集群企业核心主体的作用更加突显,创新网络内各主体之间充分发挥资源互补的优势,协作创新等联系互动更加密切和频繁。随着产业集群配套功能的不断完善,政府的作用已经让位于市场,中介服务机构对产业集群企业创新的辅助作用也更加明显。在这一阶段,产业集群拥有了丰厚的知识基础,知识、人才、物质、信息等各种资源流动顺畅,创新网络的创新功能充分发挥出来,产业集群已具备了创新的环境和创新的能力。

第四阶段是衰退阶段,即创新网络功能进入衰减、逐步丧失的阶段。在该阶段会有两种情况出现:一种情况是新的产业集群出现并将原有的产业集群取代,此时创新网络也将随之更新;另一种情况是没有新的产业集群来取代原有的产业集群,而原有的产业集群随着集聚功能和活力的逐渐丧失,创新网络的创新功能也日益衰减,整个产业集群走向衰亡。

创新网络与产业集群两者是相伴而生、相互促进的,创新网络发展的状况也是产业集群发展的真实写照,创新网络的有效运行、功能良性发展直接影响着产业集群竞争力的提升与产业集群升级的实现。

3.2 创新网络视角下产业集群升级要素的内涵、功能与维度

3.2.1 网络结构的内涵、功能及维度

1. 网络结构的内涵

目前,网络结构尚没有确切的定义,国内外学者对网络结构内涵的描述主要是从网络组织和系统论两个角度展开的。Brigitte 指出,网络结构是由网络中的各节点及其节点间的联系构成的,各节点间的相互联系构成了网络结构的形态。蔡宁认为企业在产业集群中并非独立的个体,它们相互依赖、相互联系的特质形成了产业集群的网络结构。苗东升认为网络结构就是网络内各节点间的关系。Tichy 认为网络结构是"基于相同的知识技能,产业集群成员合作开发一定范围的不同产品和服务,以不同渠道和方式提供给不同的客户"。刘汁生、王凯认为创新网络结构能够反映产业集群主体对产业集群资源的占有、分布和整合协调的程度,网络结构直接影响产业集群主体的行为。基于上述描述,本书认为网络结构就是网络内行

为主体之间相互联系和作用的方式、程度和秩序,它反映了资源的分布状况和整合深度。网络结构是从事物的普遍联系的角度关注主体间的联系和作用方式,这种研究视角也吸引了来自不同学科的学者。

2.网络结构的功能

从系统论的角度来看,网络结构反映了产业集群内各要素的联系和相互作用,尤其是反映产业集群内企业间的联系,并在一定程度上体现产业集群各主体集体行为的范围和绩效。各节点间相互协作产生的网络的协同效应能够带来产业集群整体效益,它是产业集群保持整体性及实现升级的内在基础和前提。不同类型的网络结构造成了产业集群的巨大绩效差异。网络结构的功能表现为:在整体上促进了产业集群内企业彼此的分工与协作,它是成员间实现分工、协作、协调的重要机制。Nassimbeni 指出,实现网络成员的战略协同以及通过过程标准化来发挥对产业集群成员的协调作用是网络结构的功能体现,网络结构的主要功能是为了实现成员在共同开发市场、联合技术开发以及构建公共服务体系方面的战略协同。Nassimbeni 从网络结构的功能入手展开研究,界定了三类网络结构(表3-1):供应网络、协议和合资企业、地方产业集群。

表3-1　网络结构分类及其特征

	供应网络	协议和合资企业	地方产业集群
主要目的	生产运行协调	技术或职能协调	战略协调 (研发、分销、市场等)
涉及领域	生产运行中心	支持部门	战略层次 (需协调的职能部门)
整合媒介	物流	知识流 技术交换	知识流、技术流 及协会、联盟等部门

Nassimbeni 的研究实际上说明产业集群网络结构是直接关系网络群体风险与收益的一种协调机制,因为在地理空间上集聚的相关产业企业,随着其规模的扩大,区域内以企业为核心的节点会不断增加,这样就会形成有效的分工协作网络和机制,使企业置身于一系列与其他企业构建的横向和纵向的互相依存关系中。而网络结构不仅可以反映这些纵横交错的关系,还可以有效地协调这些互相依存关系。由于产业集群网络内成员时刻要与外界进行各种信息、资源的交换,在这种不断地量变、质变的过程中,成员间的相互依存关系也会不断改变、调整,因此产业集群网络结构也会随之改变、调整,它是一个动态的过程。同一产业集群内网络结构

的不同与变化会导致不同的集体行为,进而会对整体网络风险规避能力和绩效都产生影响。

网络结构的协调机制就是要通过整合以达到最有效、最和谐的结果,它取决于直接影响整合效果的整合方式和方法。要实现网络结构的整合功能就要坚持两个原则:第一个原则是整合要适度,不能因过分强调整合而束缚了产业集群内各节点,否则会丧失网络优势;第二个原则是保持个体节点与整体网络的一致性,整合中各自主节点的行为活动与整个网络的战略要保持一致。鉴于产业集群升级本质是知识的创新,表现为产业集群内部之间以及同产业集群外部知识资源的获取与扩散、知识结构的发展和跃迁,说明产业集群内网络的结构以及产业集群外部的联系既是产业集群升级的重要的影响因素,也是实现产业集群升级的重要途径,网络结构就是通过协调、整合群内各成员的力量、资源,提升产业集群主体的竞争优势。可见,网络结构作为一种知识、信息等资源的配置整合方式,对产业集群升级有促进作用。

3. 网络结构的维度

网络结构是产业集群升级的关键动力要素。由于产业集群内主体间信息交换和联结的程度等都要受到网络结构的密度和位置等特质的影响,因此,分析产业集群创新的能力与产业集群升级情况,需要详细准确地测度与刻画网络结构。本书的研究不仅关注企业节点层次和企业与其他成员间关系层次的网络变量,还关注它们结构层次的网络变量,尤其侧重网络的节点特征对创新行为的影响。因此,对创新网络结构的度量主要采用社会网络分析中的自我中心网络分析方法,该方法可以将网络内在结构组成以及结构与功能的互动关系刻画出来,从而揭示网络存在的深层次问题。从网络分析的视角研究网络结构的维度可以分为两方面:一是关系维度,它反映的是节点间的联结,通常用节点间关系的类型、强度和持续性等指标来反映;二是结构维度,它反映的是网络关系之间联结的分布情况,可通过结构在整个网络中的规模、密度等指标来反映。鉴于关系维度与结构维度都能较好地解释产业集群成员乃至整体产业集群的行为和绩效,因此在国内外研究中被普遍采用。

本书已说明了创新网络是由核心网络、辅助网络、外围支撑网络三个层次构成,考虑到核心网络节点和辅助网络节点之间联结的重要性,本书以分析核心网络节点的联结为主。

目前关于网络结构的测度指标已经较为完善。一般来说,描述网络结构属性的变量有网络中心性、网络密度和网络凝聚性等。本书根据调查的可获得性,主要采用网络中心性和网络密度来测度网络结构。

(1)网络中心性是反映网络中拥有最高中介度的节点与其他节点中介度的差

距的指标,可以衡量群内少数节点对群体互动的垄断程度。网络中心性可以反映网络各成员在网络中的位置。在创新网络中,每个成员都有其自身所处的位置,不同的位置形成了不同的结构位置,进而影响网络成员对网络资源的控制程度。网络中心性常用来检测网络成员取得各种资源的可能性和网络成员的结构属性。一般来说,如果一个组织处于组织交往的路径上,那么它具有控制其他节点之间交往的能力,该节点在创新网络中居于重要地位,位于网络中心位置的企业将更易控制相关的资源并享有较多的利益,而越靠近结构中心的个体分享自身知识的动机越强。通俗地说,网络中心性越高,说明少数节点控制了大多网络节点间的联系,使其获得占有网络内各种资源等优势,加深了其他企业对其的依赖性,也使其占据了威望和声誉优势。

(2)网络密度用来衡量网络内各个节点之间联系的紧密程度,即网络内各成员彼此间互动联结的平均程度。对于产业集群网络结构的测量,主要是测度产业集群内企业间联系的紧密程度。网络密度高意味着网络内某一成员和其他成员相互沟通与合作频繁,网络密度低就意味着网络内的成员间相互联结较少。一般来说,网络密度越高,说明成员彼此之间的联系、互动程度也越高,成员间更容易交换网络内的各种资源,成员间获取资源的机会也越多。一个团体互动程度高,成员间更容易分享知识、信念或目标,因此对团体运作、创新有正向影响。相反,群体的网络密度值过低,说明成员彼此的合作、互动程度不足,成员和其他成员的联结少或是只限于和少数成员有互动,这样不利于企业中隐性知识的分享和创新活动的开展。

3.2.2　创新行为的内涵与维度

1.创新行为的内涵

本书所说的创新行为是指创新网络中各行为主体为实现创新目标,在正式或非正式的交流、沟通与接触活动中,通过彼此间知识、信息、技术的传播与共享获取人才、知识、资金、信息等资源。

在创新网络中,创新资源主要在各节点之间以及整个产业集群网络内外扩散和流动,具体来说,依据产业集群内节点的核心程度和内外部性可以把创新网络内的主体创新行为划分为三个层次,如图 3-4 所示。

第一层核心网络。核心网络是指企业之间的资源流动网络,这种流动表现为垂直流动和水平流动两种形式:垂直流动是指资源在企业同其上游供应商及下游客户之间的纵向流动;水平流动是指资源在合作企业与竞争企业之间的横向流动。第二层辅助网络。辅助网络是指大学、研究机构和政府等部门与核心网络之间的资源流动,它主要为产业集群整体网络的形成和发展以及核心层次知识的有效流动提供服务和协调活动。第三层外围支撑网络。外围支撑网络是指产业集群外部网络与核心网络之间的资源流动过程,核心、辅助、外围三层次资源流动网络共同构成产业集群内整体资源流动网络系统。

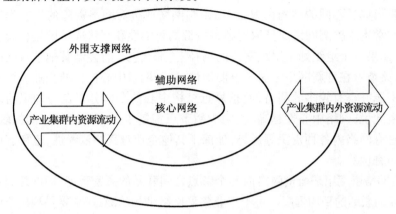

图3-4　主体创新行为层次模型

2. 创新行为的维度

由于创新网络下的创新行为是各行为主体为实现创新目标而进行的创新资源的交互作用过程,因此,创新行为的过程也是本书对创新网络主体创新行为进行度量的依据。具体来说,主体创新行为过程既然要实现创新目标,那么分析哪些因素通过影响主体创新行为进而影响创新的成功与否,就可以测定主体创新行为的维度。在这里,作者借鉴中外学者的调查与分析,对主体创新行为进行测度。

英国萨塞克斯大学通过对40个创新项目的调查,来分析影响创新成功与否的关键要素,从中总结出影响创新成功的要素有企业内部研发能力强,研究开发、制造和市场营销的职能一体化,投入资金致力于高质量的研究与开发,企业拥有勇于创新并且经验丰富的高层管理者和高端技术人才,从事基础研究或相近的研究。

熊彼特在《经济发展理论》一书中指出,技术、资金、内部组织、营销管理、竞争对手、领导、人员等都可能成为导致技术创新失败的原因。方新在对我国大中型企业技术创新情况进行调查问卷分析的基础上,指出阻碍我国企业创新成功的因素:一是资金缺乏,企业融资困难、资金紧张、资金短缺已经成为阻碍我国企业技术创新活动开展的最重要的因素;二是缺乏从事技术创新活动的人才,尤其是高端专业技术人才和具有创新意识和创新精神的企业家,这两种人才的缺乏致使企业的技术创新活动的有效开展难以进行;三是缺乏知识技术信息,由于市场能够提供的有关知识技术方面的信息量少而且各种信息混杂,造成企业难以及时从外部获取有利于技术创新活动的充足信息。高建等通过对我国1 051家企业技术创新活动的调查分析,认为缺乏资金、缺乏人才、缺乏信息和体制不完善是目前阻碍我国企业技术创新的最主要的因素。

从上述中外学者对企业技术创新成功与否的影响因素分析中,尤其是其中造成创新失败的因素分析,我们可以确定影响企业技术创新行为的关键因素有三个。

（1）资金的获取

资金是影响企业创新成功与否的最大的问题,可以说也是影响创新的首要问题。资金是产业集群企业经济活动的第一推动力、持续推动力。企业能否获得稳定的资金、及时足额筹集到生产要素组合所需的资金,对经营、创新、长期发展都是至关重要的。企业只有迅速筹集到所需的资金,才能有条件引入所需的创新人才,有资金实力投入到研发创新等活动,获得快速发展。如果企业资金不足,即使有创新机会也没有条件实现,可见资金不足是影响产业集群企业创新活动开展的主要障碍。

造成企业资金不足的原因主要有：①融资渠道少,融资困难,企业尤其是中小企业的资金来源主要靠企业主及合伙人自筹,难以依靠资金市场或风险投资,较少的融资渠道和融资困难给企业的创新活动造成许多阻碍,使企业难以迅速进入技术创新领域;②许多企业由于缺少足够的固定资产用于抵押,在贷款和市场融资等方面处于明显的劣势,难以筹集到用于创新开发的资金;③政府对企业的创新资金支持与资助不足,难以满足企业技术创新的需要。

（2）创新人才的获取

创新人才是指在社会活动和科技活动中,具有良好的创新素质,富于独创性,具有创新能力和创新精神,能够在一定的条件下通过自己的创造性工作取得创新成果,对企业和社会的发展产生有益影响的人。创新人才是企业创新活动中发挥创造性作用的主导力量,无论是应对激烈的市场竞争还是迎接经济全球化的挑战,社会发展对创新人才的需要都是最迫切的。一个企业要生存、要发展、要有竞争力,更需要创新人才,创新人才已经成为企业发展中最重要的资源。目前企业开展创新活动面临的最严峻的问题就是缺乏创新人才,尤其是中小企业因受到自身规模条件不佳、资金短缺以及当地人才流动性差等条件的限制,在对创新人才的吸引、获取和留住的问题上困难更突出,而这种情况又进一步制约了众多中小企业创新活动的开展。可见,创新人才的获取是企业创新行为有效进行,并推进创新的关键环节。

（3）知识学习

本书所说的知识学习是指创新网络的行为主体在创新活动中,对产业集群内外部知识的获取,并通过使用、消化和吸收进而解决技术问题,实现创新的过程。孙科、王应洛和杨彤认为知识学习是一种学习活动,包括主要学习活动与次要学习活动两大类,主要学习活动包括知识的获取、知识扩散、知识选择、知识生产、知识内化与知识外化等活动,次要学习活动包括知识评价、知识保护与知识交易等活动。彭灿认为知识学习主要有知识的获取、学习、创造(创新或生成)、溢出、转移(传播或扩散)、转换、共享、整合、应用、评价、选择交易和保护等。以上研究为知识学习的分类和界定提供研究思路的同时,也存在需要改进的地方。由于在整个知识扩散与知识生产过程中,知识学习表现为知识内化和知识外化,知识选择行为贯穿于整个知识活动的始末,同时,知识内化、知识外化及知识选择行为也存在内涵重叠的问题,可操作性与可区分性不够,将其硬性独立出来似乎缺乏说服力。鉴于此,本书认为知识学习主要包括知识的获取、知识的扩散和知识的开发利用。知识学习是以技术创新为目的的学习行为,通过技术引进、消化和吸收使企业间实现知识共享。在产业集群内部原有知识和产业集群外部知识的整合中,企业的创新能力得到提升。因此,产业集群知识存量递增、重组和操作的过程,也是一个复杂的知识学习过程。不同学习方式、知识特性与创新层次的动态匹配过程,如图3-5所示。

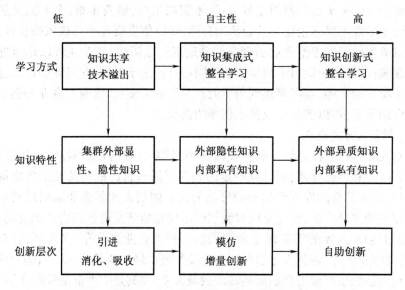

图3-5 不同学习方式、知识特性与创新层次的动态匹配过程

随着产业集群的不断发展,产业集群知识学习对产业集群竞争优势和创新能力提升的重要作用表现得愈加明显,但是知识学习往往不像物质资料那样简易,并非是不计成本的。关于知识学习的大量研究已经证明,产业集群创新网络主体地理的邻近性、主体间的紧密联系、有效的知识获取和吸收能力都对创新发挥积极作用,因此知识学习也是创新网络主体实现创新的关键因素之一。

企业的知识学习的来源主要包括企业内部、企业外部和企业内外部三大部分,企业知识学习的来源不同,企业知识学习的方式和获取的知识类型也不同(表3-2)。

表 3 - 2　知识学习的来源与方式

知识学习 的来源	知识学习 的方式	研究者和时间	获取的知识类型
企业内部	干中学	阿罗（Arrow,1962）	与生产活动相关
	用中学	罗森伯格（Rosenberg,1982） 希普尔（Hippel,1976）	与产品、机器的 投入使用相关
	通过搜寻学习	纳尔逊和温特 （Nelson 和 Winter,1982） 萨哈尔（Sahal,1982）	主要集中于产生知识的 规范化活动,如研究和开发
	基于创新和 研究开发学习	科恩和利文索尔 （Cohen 和 Levinthal, 1989） 金麟沭（Linsu Kim,1997）	通过内部的创新和 研究开发来学习新知识
	共享的学习	阿得勒（Adler,1990）	厂商内部个人之间的学习
企业外部	从科技进步中学习	克莱因和罗森伯格 （Kline 和 Rosenberg,1986）	吸收科技发展新知识
	从产业间竞争的 溢出中学习	野中郁次郎和竹内弘高 （Nonaka 和 Takeuchi,1988）	学习竞争者溢出知识或信息
	通过雇佣 学习	贝尔（Bell,1984）	雇佣其他企业人员学习知识
	通过模仿学习	达顿和托马斯 （Dutton 和 Thomas,1988）	效仿学习企业外部 竞争对手的产品或工艺
企业 内外部	通过培训学习	伊诺斯和帕克 （Enos 和 Park,1984）	通过内外部培训来提高 整个企业的知识存量
	通过交互作用 学习	希普尔（Hippel,1987） 伦德瓦尔（Lundvall,1988）	与价值链的上下游企业 或竞争对手合作
	基于联盟 的学习	雷、斯洛克姆和匹兹 （Lei、Slocum 和 Pitts,1997）	与其他企业结成 战略联盟来学习
	适应性学习	卡茨（Katz,1987） 拉尔（Lall,1987） 弗兰斯文（Fransman,1986）	通过对企业、产业、 产业集群环境变化做出适时 反应,并使资源动态匹配

产业集群主体知识学习的效果直接关系到产业集群创新活动的开展和创新绩效的提升,而有效的知识学习必须要有资金和人才的支持,实际上有效知识学习的过程是一个既需要耗费资金资源又需要耗费人力资源的过程。为了获取和使用先进的技术知识和技巧,行为主体必须投入相应的物力和财力,同时受制于资源的有限性和出于资源利用的有效性考虑,企业对获取的技术知识需要由技术人才进行筛选、分析、解释、理解和处理,并最终通过技术开发生成新产品,完成创新。可见资金、创新人才的获取是有效地进行知识学习的基础。

资金获取、创新人才获取及知识学习构成了主体创新行为的关键要素,创新网络内的行为主体可以通过这三种行为来进行创新。这三种行为并不是分割的,通过这三种行为,知识获取和扩散加快,新技术和新产品得以开发,主体的技术创新能力得以不断地积累和提高,产业集群升级得以实现。

3.2.3 产业集群升级的内涵与维度

1. 产业集群升级的内涵界定

通过对产业集群升级的文献回顾发现,学术界关于产业集群升级内涵的界定大致从两方面展开:一方面是以迈克尔·波特、Pietrobelli、Rabellotti、王缉慈等学者为主要代表的,基于地域化视角来解释产业集群升级的内涵,他们强调产业集群内各要素之间的联系、产业集群企业学习与创新对于产业集群升级的影响,认为产业集群升级就是产业集群竞争力的获取和竞争优势的提升;另一方面是以 Gereffi、Humphrey 和 Schmitz 为主要代表的,他们基于外源化视角解释产业集群升级的内涵,强调产业集群外部联系对产业集群升级的影响,认为产业集群升级就是地方产业集群通过嵌入全球价值链,获得附加值的提升。Humphrey 和 Schmitz 研究了价值链下不同的治理模式对发展中国家产业集群升级的影响。Dicken、Gerhard 等分析认为产业集群陷入"锁定"陷阱是由于缺乏外部联系,难以获取更多的外部知识。只有通过嵌入全球价值链,加强与外部的联系交流,才能改变"锁定"状态,保持产业集群的竞争优势和创新能力。产业集群企业是构成产业集群的微观基础,产业集群的升级与产业集群企业创新能力休戚相关。产业集群企业创新能力的提升是产业集群更有效率地生产、制造更好的产品和进入更高附加值环节的前提,是产业集群升级的"触发器"。

本书在梳理产业集群演化理论、产业集群竞争力理论以及全球价值链理论的基础上,发现中外学者在对产业集群升级内涵的描述中,更多地使用了网络结构完善、创新驱动、市场驱动和学习驱动这样的词汇。由于产业集群内现有知识存量的累积、知识活动的增强主要由创新驱动和学习驱动,而产业集群知识活动对产业集群升级有内在的驱动作用,因此可以认为产业集群升级内在的动力源泉是创新驱动和学习驱动。作为资源配置方式的网络结构尤其是其中的知识资源的配置方式,直接影响产业集群的知识学习等创新行为,因此,网络结构的完善是产业集群升级的必要条件;市场驱动是产业集群功能升级对产业集群市场和研发技术升级方面提出的要求。产业集群相关理论与产业集群升级的关系见表 3 - 3。

表 3 - 3　产业集群相关理论与产业集群升级的关系

视角	借鉴理论	动力机制	借鉴之处
基于地域化	产业集群竞争力	网络化创新组织推动	网络结构完善
基于地域化	产业集群演化	结构演化 创新驱动 学习驱动 市场驱动	关键要素:结构演化 产业集群升级动力:创新驱动、学习驱动以及市场驱动
基于外源化	全球价值链	价值链治理	升级类型划分:工艺流程升级、产品升级、功能升级、链条升级

综合上述学者观点,本书将产业集群升级定义为以产业集群知识为基础,通过完善产业集群企业间的网络关系、增强产业集群企业的创新能力来提升产业集群附加值获取能力、竞争能力和竞争优势的行为过程。

产业集群升级具体包括以下内容。

(1)知识是产业集群升级的基础。生产系统中企业之间以一定知识技术为基础的各种交易活动,在生产过程中形成的知识积累和知识系统的技术能力都能导致产业集群升级,产业集群升级实际上就是产业集群知识的积累、获取和演变的过程。

(2)产业集群升级是一个贯穿产业集群发展始终的由量变到质变的动态发展过程,表现为产业集群企业附加值获取能力和竞争优势的提升。

2.产业集群升级类型

关于产业集群升级类型,国内外学者主要提出了两种观点:一种观点是从竞争力、竞争优势的角度考察;另一种观点是从全球价值链角度考察。从竞争优势视角进行研究的代表人物是迈克尔·波特,他提出著名的"钻石理论"来分析产业集群保持竞争优势的关键要素和实现产业集群升级的类型、路径,他认为要保证产业集群获得持久竞争力的最佳办法就是升级,而产品升级、效率升级和生产环节升级是产业集群升级的三种主要类型。他认为升级也就是"制造更好的产品、更有效率地生产,或转移至更具技能的环节"。从全球价值链视角对产业集群升级类型进行研究的主要代表人物是 Kaplinsky 和 Morris,他们认为在全球价值链中的产业集群升级就是产业或产品从价值链的低端向高端攀升的过程,工艺流程升级、产品升级、功能升级和链条升级是产业集群升级的四种基本类型。产业集群升级的四种类型的表现见表 3－4。

表 3－4 产业集群升级的四种类型的表现

升级类型	升级的实践	升级的表现
工艺流程升级	生产过程变得更加有效率	降低成本,增进传输体系,引进过程新组织方式
产品升级	新产品的研发,比对手更快的质量提升	新产品、新品牌引起产品市场份额的扩充和增加
功能升级	改变自身在价值链中所处的位置	提升在价值链中的位置,专注于价值量高的环节,把低价值增加的活动放弃或者外包出去
链条升级	移向新的、价值量高的相关产品价值链	得到相关和相异产业领域的高收益率

通过两者的比较发现,迈克尔·波特、Kaplinsky 和 Morris 关于产业集群升级类型的阐释立足点是不同的:迈克尔·波特主要立足于单个产业集群,关注单个产业集群是否升级的变化情况;Kaplinsky 和 Morris 立足于构成产业集群的产业和企业,从产业间竞争出发研究产业集群升级的类型。由于目前经济全球化的背景下产业集群之间的竞争日趋激烈,而且迄今为止发展中国家产业集群尚未出现过链条(价值链)升级的实际情况,本研究采纳 Kaplinsky 和 Morris 对产业集群升级类型的划分,将产业集群升级类型区分为工艺流程升级、产品升级、功能升级三种升级类型(表 3－5)。

表 3－5 产业集群升级类型

研究视角	升级类型	代表人物
价值链	工艺流程升级、产品升级、功能升级	Kaplinsky 和 Morris

3. 产业集群升级的本质

地域化视角下产业集群升级强调产业集群内企业间的学习和创新协同,隐含的是知识在产业集群内企业间的流动与创造;而外源化视角则通过分析全球价值链下的不同治理模式引起附加值的提升,来反映产业集群外部联系对获取产业集群外部知识的重要性。这两个视角对产业集群升级的分析核心都是知识,而这种知识的积累、扩散、转化引起知识结构变化的过程正是产业集群企业之间以及企业同其他组织之间协同创新的结果。Pietrobelli、Rabellotti 和迈克尔·波特认为产业集群升级的本质是创新,即知识结构的强化、更新和跃迁,也就是知识的创新。

从产业集群升级是知识创新的本质来看,产业集群的工艺流程升级、产品升级、功能升级和链条升级这四种升级类型实质上也反映了产业集群知识结构由渐变式创新向突破式创新的转化过程。产业集群升级的过程就是知识结构系统的强化创新过程,表现为随着产业集群内企业对现有知识的不断积累和深入利用,产业集群内主导知识由工艺、产品制造知识向研发知识或市场知识的跃迁过程。产业集群升级是产业集群相关知识结构、知识系统的创新,知识积累能引起产业集群升级。知识创新与产业集群升级类型的关系见表 3 – 6。

表 3 – 6　知识创新与产业集群升级类型的关系

知识创新	产业集群升级类型
有关产品的制造知识增加	产品升级
有关工艺流程的制造知识增加	工艺流程升级
研发知识的跃迁,市场知识的跃迁	功能升级

4. 产业集群升级的维度

目前国内外文献中均没有直接度量产业集群升级的指标。Gereffi 从四个层面对产业集群升级进行测定,他将产业集群升级划分为企业内部升级、企业之间升级、当地或国家内部升级和国际性区域升级;Kaplinsky 和 Morris 从全球价值链视角将发展中国家的产业集群升级划分为工艺流程升级、产品升级、功能升级这三种类型。但从产业集群升级的实质来看,这三种类型均是通过产业集群创新绩效的提升来体现的。基于本书是从网络创新的视角研究产业集群升级,而且产业集群升级的本质是以产业集群知识为基础的创新行为,因此本书确定以创新绩效作为产业集群升级的衡量指标,因为这一指标既能表明技术创新活动的强度,又能反映技术创新活动的效果。作者查阅了大量的有关产业集群创新能力与绩效以及产业集群竞争优势的相关文献,在借鉴上述内容和思路的基础上,本书采用工艺流程升级、产品升级、功能升级来体现产业集群创新绩效的成果。

3.3 创新网络视角下产业集群升级总体理论模型的提出

在确定产业集群升级各要素的内涵和维度的基础上,本节将对创新网络视角下网络结构、创新行为与产业集群升级三者之间的关系进行总体概括,提出三者关系的总体理论框架,而不对内部的具体的运行机制进行深入的考量。

在前面的阐述中我们揭示了产业集群升级的本质是创新,具体表现为产业集群内企业的自主创新能力和创新绩效的提升,实际上也就是产业集群知识的创新。那么企业创新能力和创新绩效提升的决定机制和影响因素是什么?大量的调研实践表明,企业创新绩效的实现需要由各主体的创新行为来决定,企业只有获取产业集群升级的关键资源,加以开发利用,转化为创新成果,才能保证创新绩效的提升,实现产业集群升级。在明确了企业获取并开发利用创新资源的创新行为是影响和决定创新能力和绩效提升的主要因素的基础上,接下来就要深入分析有哪些因素影响主体的创新行为。在目前经济技术高速发展以及产业分工不断细化的背景下,产业集群内外的竞争愈加激烈,产业集群企业单凭自身的力量难以在竞争中取胜,企业只有与其他组织协同,借助产业集群学习的力量,发挥出创新网络的创新效应,通过有效整合产业集群内外的创新资源才能保持竞争优势。

Hart 认为,网络内企业的创新受益于交互网络的五种潜在收益,主要表现为:更接近信息、知识、技能和经验;改进网络成员之间的联系和合作;提高反应能力;减少风险,降低交易成本;提高信任和社会凝聚。创新网络所具有的创新机制和优势为产业集群内企业的这种需求提供了实现的可能,产业集群内各行为主体在获取创新资源的活动中所形成的相互联结和相互渗透的关系会对创新网络中主体的行为方式、效果产生极大的影响,而行为主体之间的联结状态实质上就是网络的结构。网络结构不仅能体现产业集群主体之间的竞争合作关系,而且体现了产业集群有利于创新的优势。由于创新网络同产业集群相伴产生较强的根植性,网络各主体拥有共同的社会文化背景等,在获取各种资源时容易建立彼此的信任机制,减少机会主义倾向并降低交易成本,这促进了网络内主体的分工协作和成员之间的能力互补与资源共享。徐占忱等分析了创新网络的构成主要是源于地理邻近性、社会接近性和行业接近性,而且产业集群内企业的创新具有耦合互动的特征。网络结构反映了产业集群内部行为主体之间联系的形式与强度,以及由此带来的资源结构和素质的变化,而且行为主体联结形式的不同、强度的差异会对产业集群创新能力、管理水平的提高和制度的演进产生不同的影响,进而影响企业乃至整个产业集群的创新绩效。李志刚指出网络结构为企业的联合创新创造了条件,并且提高了产业集群的创新绩效。创新网络内各行为主体之间形成的高度联通的网络结构,缩短了成员间交流、沟通的距离,使各种知识、技术等资源传播扩散得更广。由于隐性知识的有效传播要通过面对面紧密联系、人际交互或者"干中学"才能实现,因此 Hippel 提出,社会交互环境中隐性知识与产业集群创新有关,即面对面联系的人际交互对创新的成功有很大的影响。产业集群主体间通过各种正式与非正式的沟通"通路",获取信息、知识、技术、人才、资金等各种有形和无形资源。网络传播的强度、广度和深度对网络内各节点尤其是企业创新能力和升级能力的提升有促进作用。

刘汁生指出,产业集群静态的竞争优势和动态的竞争优势都可以通过网络结构体现出来。彭灿从知识转移的角度出发,强调结构障碍是创新系统内知识转移的重要障碍之一,指出"区域创新系统的结构优劣会对系统内的知识供求状况产生重要的影响"。可见,各主体在网络中的位置、相互之间联系的密切程度等都是影响主体行为的重要结构变量,网络结构是影响产业集群行为主体获取创新资源的重要因素。

创新行为既是产业集群升级的推动力,也是影响产业集群升级的一个重要变量,产业集群主体的创新行为实际上就是获取产业集群升级的关键资源。产业集群内的知识、人才、技术、资金、物质等资源是产业集群升级的基础,尤其是资金、人才和知识资源更是产业集群升级的关键。创新网络内各行为主体形成的良好的互动关系和创新氛围,能提高产业集群内资源的品质和资源利用效率;良好的创新氛围容易吸引核心企业、产业集群内企业家、高素质的技术人才,而且也容易吸引产业集群外人才、知识、信息等资源的加入。创新活动对人才、知识、技术、资金、信息等资源要求很高,新技术、新产品的推出风险也相当大,单个企业往往会受限于自身的资源禀赋,常常难以应对充满不确定性的复杂的技术系统和创新过程,无法承受创新的风险,影响创新活动的顺利开展。企业只有共同协作、取长补短、优势互补才能克服独自创新中资源、能力不足的缺陷和有效地应对创新过程的复杂性、不确定性,企业只有通过合作创新、优势互补,才能共同分担创新成本和创新风险。

Storper 认为,产业集群内企业间的持续组织学习和知识扩散的过程有益于资源的获取。创新网络内的各节点在产品、服务、资金、知识以及信息的交换、流动中建立起的联系实质上就是知识学习与创新的过程。在这相互学习的过程中各行为主体彼此增进了信任、获取了互补性资源,避免了技术"锁定"的状况,提高了自身的创新能力。可见,创新行为具有动态性和双向性,对产业集群内的行为主体创新绩效的提升和产业集群升级的实现具有重要的作用。

随着产业集群的不断发展完善,创新网络逐步走向成熟,在这一过程中,产业集群内的各种资源要素流动网络都得到进一步完善和升级,因此创新网络不断发展的过程就是产业集群不断完善向高级化演进的过程,也是产业集群升级和成熟的标志。李正卫等认为产业集群网络作为一个知识密集且易于知识溢出与共享的平台,有利于产业集群企业的技术创新。产业集群升级是一个动态过程,创新是升级的本质,相对发达成熟的创新网络为整合产业集群资源提供了有效的途径,能够促进行为主体彼此间有效的交流与协作创新,这种良性互动可以激活并有效整合产业集群内外经济、社会等资源,使产业集群资源产生"1+1>2"的效果。产业集群创新网络通过整合产业集群资源产生的协同创新效应,提高了产业集群的综合竞争力,使产业集群拥有了持续创新的活力,推动了产业集群升级的实现。

总之,通过上述创新网络的网络结构、主体创新行为与产业集群升级的关系分析,可以看出网络结构需要通过创新行为对产业集群升级发挥作用,创新行为是中间变量,网络结构直接决定着主体创新行为的效果。网络结构是主体创新行为的基础和前提,它决定着主体创新行为的配置、效率及特征,正是通过网络结构对主体创新行为的影响,创新行为才能有效获取产业集群升级的关键资源,促进产业集群知识的积累、结构强化或跃迁,实现产业集群升级。网络结构、主体创新行为与产业集群升级总体理论分析模型,如图3-6所示。

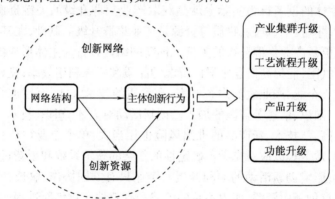

图3-6 网络结构、主体创新行为与产业集群升级总体理论分析模型

3.4 网络结构、创新行为对产业集群升级的影响机理研究

本节要在上述总体理论分析框架和分析模型的基础上,系统剖析创新网络视角下网络结构、创新行为对产业集群升级影响的内在机理。

3.4.1 网络结构对创新行为的影响分析

网络结构对创新行为影响的分析框架,如图3-7所示。

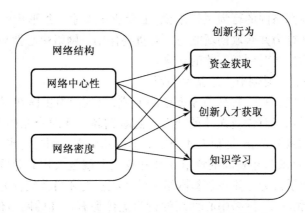

图 3 - 7 网络结构对创新行为影响的分析框架

1. 网络结构对资金获取的影响

本书的网络结构主要采用网络中心性和网络密度两个维度来测度,下面具体分析网络中心性和网络密度对资金获取的影响。

(1)网络中心性对资金获取的影响

网络中心性反映行为主体在创新网络中占据的位置,网络的中心性高说明行为主体占据重要的战略位置。Shane 和 Cable 认为网络位置和网络联系提供了接近和获取资源与信息的机会,有利于获取金融资本。在创新网络中会有大量的信息在中心位置汇合,包括资金信息等大量信息的传递就是以网络的连接为渠道。如果某一行为主体网络中心度高,意味着该主体拥有重要的战略位置,与其他行为主体建立的联系更便捷、更快,也更容易获得资源信息,而且可以有更多的机会和途径获得创新网络中由金融机构、风险投资机构或政府等其他主体提供的资金。因此,网络中心性对行为主体资金的获取有正向的积极作用。

(2)网络密度对资金获取的影响

网络密度反映的是创新网络某一行为主体与其他行为主体进行联系的频率。由于产业集群内行为主体地理上邻近、联系较为频繁,可以在很大程度上节省获得信息所需投入的时间和金钱。Harold 认为企业与社会联系的紧密程度与生产要素获取的多少息息相关,紧密的社会联系易于降低交易的成本和贷款利率。网络为行为主体提供了资金获取平台,网络密度越大意味着互动交流越频繁,有助于促进行为主体之间的信任和深度合作,进而使行为主体能更方便、更容易地获得或共享其他行为主体的资金。因此,网络密度对资金的获取有积极的正向作用。

2. 网络结构对创新人才获取的影响

由于市场能够降低劳动力成本,这在一定程度上提高了产业集群内人才的可获性。对于创新网络内的行为主体来说,由专业化人才聚集形成的劳动力市场对其有效进行创新行为并获取创新能力具有重要作用。网络中心性与网络密度两者都直接影响行为主体对创新人才的获取。

(1)网络中心性对创新人才获取的影响

创新网络不仅有利于共享人才市场的形成,而且行为主体在网络中所处位置的优劣也直接影响其对创新人才的获取。随着创新人才对企业的创新、竞争优势提升的贡献作用愈加显著,创新人才获取成本占总成本比例也越来越大,尤其高端人才更是"千金难求",企业间的竞争在某种意义上就是人才的竞争。由于网络中心性的高低反映了行为主体在创新网络中的集权程度和与其他行为主体联系交流的能力,在这种情况下,网络中心性高的行为主体拥有更佳的网络位置和影响力,凭借这一优势,网络中心性高的企业更容易获取创新人才,而网络中心性低的企业获取创新人才的难度会较大。因此,网络中心性对创新人才的获取有积极的正向作用。

(2)网络密度对创新人才获取的影响

Brass 认为即使经过复杂的挑选过程,利用网络选择的人才在个性和能力等方面也会更合适。这是因为产业集群中的行为主体通过经常参与社区活动与个人之间逐渐形成一种稳定的人脉网络,两者在非正式的相互学习和相互作用中产生了"默会性知识"。创新网络内部行为主体之间及其与个人之间的联系密度直接影响着创新人才的获取。网络密度高,说明行为主体间的沟通联系频繁,更容易获悉专业化人才的信息并成功获取人才,这样可以大大提高创新人才的可获得性。Catherine 和 Zoltan 通过实证研究发现,若某地区企业之间通过加强彼此的联系,能以较低的成本较便捷地雇佣到企业所需的专业化人才,表明该地区高技术人才可获性高,那么该地区以技术为主导的行业产生率也高。可见,网络密度对创新人才的获取有积极的正向作用。

3. 网络结构对知识学习的影响

Baptista 和 Swan 认为,网络中各行为主体之间发生的密集的联系既利于信息和知识的流动,也利于有形资源的流动。Hansen 和 Allen 认为网络成员数量对潜在信息的获取具有正向的影响作用。Cowan 和 Jonard 通过改变每个节点在网络内的联系数量来研究网络结构对网络内主体行为的影响情况,建立了网络结构同网络知识生产与知识扩散水平两方面影响的关系模型,并通过实证验证了网络结构对二者有直接的影响,得出了颇具权威性的结论。李志刚等认为从产业集群内企业角度看,产业集群网络结构不仅使群内识别、获取信息等资源的成本大大降低,而且也推动了信息等资源的流动和传播速度。

从以上研究可以看出,网络结构使产业集群内知识获取扩散速度远远高于非产业集群地区,并对产业集群中的知识学习具有重要的推动作用。下面主要通过反映网络结构特征的网络中心性和网络密度来研究网络结构对知识学习的影响。

(1)网络中心性对知识学习的影响

网络中心性直接反映网络的集中或集权程度,能够反映产业集群内企业充当其他企业交流媒介的能力,影响着技术创新、知识在产业集群网络内的扩散流动潜力。一般认为,网络中心性高的节点与其他节点有大量的联结,该节点对知识和创新成果的扩散具有良好的控制能力,网络中心性越高,说明节点的控制力越强,技术创新扩散效果和知识流动质量也会更好。反之,如果网络内无中心性高的节点,意味着网络中知识技术等资源的传递效果会较差。如果创新网络内某节点企业网络中心性高,表明在整体网络的全部结构中,该企业占据了具有战略意义的特殊位置,该企业不仅更容易与产业集群内其他成员互动合作,而且更容易获取新技术、新知识与信息等有利于创新的稀缺资源,拥有对知识和创新成果扩散的控制能力,便更有机会和实力进行技术创新扩散。

一般而言,资金和实力较为雄厚的企业往往网络中心性较高,更容易获取稀缺的创新资源,其他企业和单位有强烈的愿望与之进行业务和创新等方面的合作。为了保持自己创新资源的获取优势,维护自身在网络内交流与合作的中心位置,中心性较高的企业倾向于向"更强者"学习,不仅倾向于向产业集群内部"强者"学习新技术、研究新产品的开发与使用,更倾向于向产业集群外部的"强者"学习,他们愿意向比自己具有更强的实力、中心性水平更高的企业学习,模仿和学习他们更先进的技术和经验,经过消化吸收和改进,最终促使自己创新能力和水平的提高。可见,网络中心性对于产业集群知识技术的获取、扩散非常重要,中心性的高低直接影响着产业集群企业知识、技术信息获取与扩散的内容和质量。

(2)网络密度对知识学习的影响

网络密度作为网络一种最重要的结构属性,它的高低主要反映了网络节点联结的紧密程度。网络密度高意味着网络节点间拥有较密集的沟通及交流渠道,可以为网络内节点之间尤其是企业之间正式和非正式交流搭建平台,增加节点间面对面接触和交流的机会,能有力地推动网络内的各种资源尤其是隐性及高质量知识、技术信息的通畅传播和扩散,有利于创新知识和技术的积累和共享。网络密度高也意味着产业集群内成员拥有较高的社会资本,产业集群企业紧密的联系增进了彼此间的信任,在相当大的程度上降低了机会主义行为的发生,促进了产业集群成员间建立稳定互惠的关系。如果网络密度低意味着产业集群内部节点联结疏松,行为主体之间缺乏信息交流与合作支持。因此,要提升知识扩散效率,网络内节点间要加强联系,增强网络密度,为知识、技术信息资源的传播与扩散创造更多的渠道、通路。从网络结构的网络中心性与网络密度对知识学习的影响作用可以看出,网络结构对知识学习有积极的正向影响作用。

3.4.2 创新行为对产业集群升级的影响分析

创新行为对产业集群升级影响的分析框架,如图3-8所示。

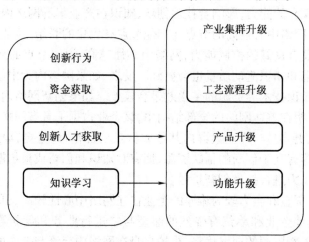

图3-8 创新行为对产业集群升级影响的分析框架

1. 资金获取对产业集群升级的影响

资金是企业生存和发展的基础,也是产业集群企业经济活动的第一推动力、持续推动力。企业能否获得稳定的资金来源、及时足额筹集到生产要素组合所需要的资金,对企业的经营、创新和长期发展都是至关重要的。能从多渠道获取资金既是企业的重大经济活动,也是促进企业快速发展的机会,同时也会增加企业还本付息、到期偿还债务的风险。若企业能迅速筹集到所需的资金,则该企业就有资本投入到研发创新等活动,可使企业得到快速发展,否则企业仅仅通过利润留存、自有资金的滚动来获取资金,其发展将是一个缓慢的过程。

随着全球经济一体化的深入,产业集群内外企业、产业间的竞争也愈加激烈,产业集群内企业要保持和提升竞争优势,只有通过研发创新,生产出更受消费者欢迎的新产品才能在激烈的竞争中取胜。由于技术创新的各个阶段都需要投入大量的资金,而且创新的风险是很大的,一旦技术创新失败,前期投入的资金就无法收回,会造成资金短缺,企业要完成创新活动必须继续追加资金的投入。可见获取充足的创新资金对企业技术创新活动的开展、创新能力的提升甚至整个产业集群的发展都是必不可少的关键要素。

Thurow 和 Hagan 在对美国企业调查的基础上得出,技术创新的投资率的高低与企业的经济增长率密切相关。凡是技术创新投资率低于 3% 的企业只能维持现状;技术创新投资率高于 4% 的企业的经济增长率明显高于同期美国国民生产总值的增长率;而技术创新投资率低于 2% 的企业的经济增长率明显低于同期美国国民生产总值的增长率。因而,一定的技术创新投资是企业发展、创新的基本保证。

但是,无论是在资本市场已经非常健全的发达国家还是在资本市场尚不健全的发展中国家,资金短缺已成为企业发展和技术创新的一个主要障碍,同时也是中小企业技术创新失败的主要原因之一。清华大学经济管理学院对我国 945 家企业创新状况的调查也证明了这一点。据研究证实,通常情况下企业对技术创新的投资需求往往超过企业自身积累的资金,对于自身投入不足的企业来说,获取和缓解创新资金短缺的重要渠道是从外部寻求资金,但是企业创新的高风险特性使其从银行获得贷款的难度很大。可见,创新资金是企业技术创新的关键要素之一,资金获取对产业集群升级有积极的正向影响作用。

2. 创新人才获取对产业集群升级的影响

许多学者的研究表明,创新人才是企业创新成功、实现产业集群升级的关键要素。产业集群中人才的流动性很高,这种高流动性既能提高企业获取所需的各种人才的可能性,又会提高整个产业集群的知识溢出程度。Brenner 认为产业集群知识增加与转移的源泉就是劳动力的高流动性。在产业集群内人才的流动保持一定的活跃性,可以使产业集群充分享受自己创造的人力资本优势。产业集群企业要创造正反馈循环,需要获取并储备多于自己需求的人力资本,才能保证人力资本持续增长,以应对产业集群中活跃的创业活动。

Lawson 认为人才自身拥有的专长、技术、技能,人才频繁的流动以及人才与以往学习或工作过的大学和企业的联系都起到推动企业的创新活动、促进知识流动、增强产业集群知识利用率和知识的持续流动的作用。Rakesh 认为人才在产业集群中流动的同时,也带动了产业集群隐性知识和显性知识的增加,形成了产业集群知识的自增强机制。Saxenian 研究发现,硅谷集聚经济成功的重要原因就是由于雇员高流动性而引起的知识溢出效应。人才的获取可以为产业集群企业带来新技能、新思想和新知识,它是产业集群学习的一种途径,使企业原有的知识得以更新和增强,提高了企业对于外部技术和市场的适应能力。章宝林、王文平认为人才流动能够产生知识溢出效应,从而促使产业集群升级。可见,人才的获取对产业集群升级有积极的正向影响作用。

3. 知识学习对产业集群升级的影响

由于产业集群获取并保持持续的竞争优势主要依赖于人类不断创造和拥有的新知识以及知识的生产、扩散与使用,因此,知识的获取、扩散以及以此为基础的创新能力的提高对企业创新和发展的推动作用越来越显著。下面,本书从知识学习中的知识获取、知识扩散、知识应用与创新三个方面对产业集群升级的影响进行深入剖析。

(1)知识获取对产业集群升级的影响

学术界大多是从企业的微观层面开展有关知识获取的研究,由于产业集群升级主要取决于产业集群内企业创新绩效的提升,而企业知识的获取直接影响其创新绩效的提升,因此,本书研究企业的知识获取既包括从产业集群内部也包括从产业集群外部获取知识和技术。知识获取对产业集群升级的作用表现为以下方面。

首先,知识获取是产业集群升级的前提条件。产业集群知识获取尤其是从外部知识源获取多元化的异质性的新知识、技术是实现产业集群知识创新和产业集群升级的基础和前提条件。这是因为从产业集群外部获取的异质性的新知识、新思想会同产业集群内部的存量知识、技术发生碰撞,激活并加速了产业集群内外知识、技术的整合,促进了新知识、新技术的产生,增强了产业集群的创新能力。可见,知识获取过程也是产业集群内外知识整合和新知识技术的产生过程,一定程度上增强了对产业集群升级的预期。

产业集群可以通过两种途径从产业集群外部获取知识。第一种途径是通过战略联盟或网络协议来获取外部知识。这种关系形式为获取外部知识源的信息开辟了良好的信息通道。Smith 和 Riccaboni 认为,产业集群外部的信息通道是决定性的,是突破性知识、技术获取的最主要的信息通道。第二种途径是技术守门员或知识网关。技术守门员主要指新技术和生产方法的早期应用者,它们可以用更加情景化、更容易让当地其他企业接受理解的知识来解释说明复杂的、高度编码的知识。所以要想从产业集群外部获取知识,技术守门员的存在尤为重要。对于产业集群内许多缺乏识别重大创新能力的企业来说,可以借助技术守门员企业来了解知识、技术的新进展。

其次,知识获取可以防止产业集群陷入"结构锁定"的困境。尽管许多产业集群内知识、技术非常丰富,但如果缺乏外部知识获取信息通道,长期不能从产业集群外部获取知识,那么这种产业集群将陷入"自捻风险"的困境,该产业集群会变成"结构锁定"的保守、封闭、僵化的系统,从而抑制了产业集群新知识、新技术的产生,不利于产业集群长期可持续的健康发展,进而影响产业集群升级。

总之,知识获取对于知识的生产、知识的创造、产业集群升级有一定的影响。知识的生产、创造过程不仅需要知识获取这一重要环节,同时还需要其他环节配合共同完成,这是由多因素决定的复杂过程。因此知识获取通过激发企业内部知识创新来发挥对产业集群升级的促进作用是有限的,或者说知识获取对产业集群升级更倾向于间接而非直接影响。

　　(2)知识扩散对产业集群升级的影响

　　马歇尔认为,地理集聚或者说知识溢出能够促进知识传播,有利于产业集群内企业创新。这是最早的有关产业集群知识扩散对产业集群绩效和竞争优势的影响研究。现有研究多是围绕知识扩散行为与区域经济发展的关系进行,Bretschger 研究了区域内部以及区域之间知识扩散的规模效应,提出知识的积累、扩散和共享在很大程度上提高了知识在整个社会的运用与创新效率,从而也带来了地区经济的繁荣。知识扩散对产业集群升级的影响具体体现在以下方面。

　　首先,知识扩散使产业集群升级的预期提高。知识本身的特征决定了它与其他物质产品不同,知识的扩散、传播不仅不会使其知识总量减少,反而会使知识总量增加。就知识扩散对产业集群知识的影响来看,知识的扩散能够冲击并盘活产业集群内固有的近乎静态的知识,企业从产业集群外部获取的知识加上群内已有的静态知识,二者融合增加了群内知识存量总量,为群内知识的生产整合奠定了良好基础,促进了产业集群创新能力的提升,提高了产业集群升级的预期。

　　其次,知识扩散溢出效应为产业集群升级创造了良好的环境和条件。知识扩散产生的溢出效应会对产业集群内领先企业形成一种创新压力,同时为产业集群内落后企业的技术追赶提供了可能和机会。现实中许多后发国家通过拥有的"后发优势"获得成功的案例可以支持这一点,具体来说就是后发国家通过接受、利用先进国家"外溢"的知识价值来加快自身的发展并获得成功。李环认为知识的扩散、转移是知识外溢的本质体现。

　　最后,知识扩散能够推进产业集群升级。Rogers 认为,新知识、新观点的产生和传播往往是在知识扩散交流过程中发生的,这意味着在一定程度上知识扩散的过程也是新知识、新观点的产生过程,这也增强了产业集群内企业或组织参与知识扩散传播的动力,并在这一动力驱使下促进知识的生产与创新,提高系统对知识的利用率。

　　(3)知识应用与创新对产业集群升级的影响

　　知识应用与创新是产业集群企业利用已经获取的知识去生产更新的知识,它既是企业开展创新活动的基础和企业新技术、新发明的源泉,也是知识学习的深化过程,因此,无论企业获取的知识来自产业集群内部还是产业集群外部,企业要提高创新绩效实现产业集群升级,必须对获取的知识进行开发、利用和创新。企业知识应用与创新可以实现产品升级和工艺流程升级或功能升级,主要表现为:第一,企业根据自身现有的资源条件,结合市场需求等情况对获取的知识进行改良或创新,改进原有产品或形成新的产品,从而提高市场份额或开辟新市场,增强了企业竞争优势,实现了产品升级;第二,企业对获取的知识进行应用与创新的过程也是企业改进工艺水平、形成新的技术积累和新的工艺流程的过程,通过研发创造出新技术、新工艺或拥有专利成果,从而实现了产品流程升级或功能升级。总之,企业提高创新绩效、实现产业集群升级的关键就是对知识的应用与创新。通过不断将产业集群内部与外部的知识和其他资源开发转化为创新能力和竞争优势,从而进一步促进了企业创新绩效的提升,推进了产业集群升级。

从上述知识学习中的知识获取、知识扩散、知识应用与创新三方面对产业集群升级的影响作用可以看出,知识学习对产业集群升级有积极的正向影响。

3.5 研究假设

本节根据以上构建的理论模型,提出以下三个阶段理论假设。

第一阶段假设:由于网络结构对产业集群升级的影响作用是间接的,是通过直接作用于主体创新行为才间接地影响产业集群升级,而网络中心性和网络密度是本书采用的测度网络结构的两个基本维度,因此,第一阶段的假设是关于网络结构对主体创新行为影响作用的假设,即网络结构—创新行为。具体假设如下:

(1)网络中心性—创新行为

①网络中心性对资金获取有直接的正向影响;

②网络中心性对创新人才的获取有直接的正向影响;

③网络中心性对知识学习有直接的正向影响。

(2)网络密度—创新行为

①网络密度对资金获取有直接的正向影响;

②网络密度对创新人才的获取有直接的正向影响;

③网络密度对知识学习有直接的正向影响。

第二阶段假设:创新行为的有效实现是有过程的,本书通过资金获取、创新人才获取以及知识学习来反映主体创新行为实现的过程。从三者对产业集群升级影响的分析中可知,资金的获取是创新人才获取的基础,而创新人才的获取是知识学习的关键,为此第二阶段的假设是关于主体创新行为过程的假设,即资金获取—创新人才获取—知识学习。具体假设如下:

①资金获取对创新人才获取有直接的正向影响;

②创新人才获取对知识学习有直接的正向影响。

第三阶段假设:创新行为对产业集群升级的影响作用是直接的,而资金获取、创新人才获取和知识学习是主体创新行为的三个基本维度,因此,第三阶段的假设是关于创新行为对产业集群升级影响作用的假设,即创新行为—产业集群升级。具体假设如下:

①资金获取对产业集群升级有直接的正向影响;

②创新人才获取对产业集群升级有直接的正向影响;

③知识学习对产业集群升级有直接的正向影响。

三个阶段的假设也反映了网络结构、创新行为对产业集群升级作用的理论模型(图 3 - 9)。

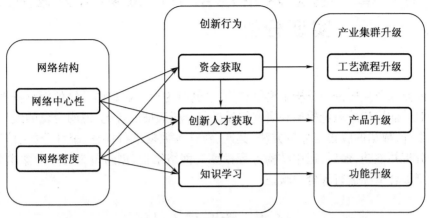

图 3 - 9　网络结构、创新行为对产业集群升级作用的理论模型

3.6　本 章 小 结

本章对创新网络的三个构成要素——主体、创新资源和主体创新行为进行了分析,围绕创新网络的五类主体,从层次角度将创新网络划分为核心网络、辅助网络和外围支撑网络,并阐述了创新网络的创新机制和创新网络的演化过程。为了明晰创新网络视角下产业集群升级的机理,本章中界定了各要素的内涵,明确了各要素的维度,提出了网络结构、创新行为对产业集群升级影响的总体理论模型,形成了总体的理论框架。在此基础上,本书分别从网络中心性和网络密度这两个维度深入阐释了网络结构对主体创新行为的影响,同时又从资金获取、创新人才获取和知识学习这三个维度分别阐释创新行为对产业集群升级的影响。在上述分析的基础上,结合各要素关系的理论模型提出了 11 项假设,为下一章的实证研究奠定了理论基础。

第4章 创新网络视角下产业集群升级的实证分析

前面章节从理论上分析了网络结构、创新行为对产业集群升级的影响机理,本章将对之前构建的理论模型和研究假设进行分析验证。首先,说明变量的设置、问卷的设计、数据的收集与分析方法;其次,对样本数据进行描述、统计分析、信度与效度分析并检验;最后,运用结构方程模型对网络结构、创新行为与产业集群升级的模型拟合情况进行评价与验证。

4.1 数据与方法

4.1.1 变量设置

本书借鉴了国内外常用的实证研究方法,依据前面章节建立的概念模型和提出的理论假设,可以看出本研究需要度量的变量有网络结构、创新行为以及产业集群升级。鉴于变量度量的准确与否直接影响到实证研究的结论和质量,本书在选择测量项目上尽可能选用国内外相关研究中各个变量常用的量表,对于尚无成熟量表、测量指标项目的变量,基本上依据学者的相关研究成果、变量的理论内涵及我国产业集群的实际情况来设计。由于本研究要度量的变量所需数据多数不能从公开资料中获得,而且大多数很难加以量化,即使有少数变量可以量化,但是调查对象为防止其中某些涉及企业的商业数据泄漏,会拒绝回答或提供不真实信息,因此本研究采用李克特量表设计调查问卷。

1.网络结构的度量

本研究采用网络中心性和网络密度来体现网络结构的特征,根据国外学者们的相关观点,设计了网络结构的度量(表4-1)。

(1)网络中心性

网络位置可以用网络中心性来度量,Burt指出,一个网络的非冗余联系的数量往往决定着网络的效率和有效性。他提出可以用网络中心性来界定网络节点在行为体系中的位置,并作为分析主要节点之间的关系模式。通常来说,企业网络中心性越大,说明各种资源、信息能够更直接地传递到企业,对企业的创新行为有利。

本书借鉴 Johannison、Powell 和 Carson 等人的研究,采用三个题项对网络中心性进行度量。

表 4 – 1　网络结构的度量

网络中心性
贵企业在当地知名度高、影响力较大
本地其他企业希望且容易与贵企业建立联系
贵企业经常充当其他企业认识的介绍人
网络密度
贵企业与本地供应商发生联系的频繁程度
贵企业与本地客户发生联系的频繁程度
贵企业与大学、科研机构联系的频繁程度
贵企业与政府部门、中介服务机构联系的频繁程度

(2)网络密度

网络密度是用来衡量整体网络关系紧密与否的重要指标。通常来说,网络内联系紧密的成员,它们在知识技术溢出等信息流通方面更通畅,合作行为会较多,相应地,整体创新能力提升,产业集群整体工作绩效也会较好。反之,联系十分疏远的成员,知识技术溢出等信息不通畅,知识传递性较差,往往导致工作绩效较低。本书借鉴 Granovetter、Andrew、Ferry、Uzzi 和 Batjarga 等人的研究,通过四个题项对网络密度进行度量。

2. 创新行为的度量

资金获取、创新人才获取和知识学习是创新行为的三个维度,下面对这三个变量水平的测量进行说明。对创新行为的度量见表 4 – 2。

(1)资金获取

资金获取是产业集群企业进行创新行为的前提和基础。Joel、Robert、Kevin、Birch、Johnson、Reynolds 在研究资金对创新和经济发展的影响时,开发了相应的量表,他们均使用资金可获得性(包括类型和数量)及获取成本来度量资金获取。根据他们的研究成果,本研究通过三个题项对资金的获取进行度量。

(2)创新人才获取

创新人才是企业进行创新行为的关键,只有获取所需的人才,企业的知识学习才能顺利实现。Porter、Atkinson、Gittell、Jacoby 等人分析创新人才对区域创新及区域发展的影响时,开发了相应的量表,使用了人才获取的难易、成本的高低来度量创新人才的获取。根据他们的研究成果,本研究通过四个题项对创新人才的获取进行度量。

表4-2 创新行为的度量

资金获取
贵企业能较容易获得所需数量的资金
贵企业能较容易获得所需种类的资金
贵企业能以较低成本获得资金
创新人才获取
贵企业能较容易雇佣到所需不同类型的人才
贵企业能较容易雇佣到所需数量的人才
贵企业能以较低成本雇佣到所需人才
贵企业创新所需人才大多来自园区内部
知识学习
贵企业容易从产业集群内获取各种知识技术技能
贵企业容易从产业集群内获取技术或专利
贵企业能很快消化和应用获取的知识技术
贵企业能很快从产业集群外获取技能、技术或专利

(3)知识学习

知识学习包括知识的获取、扩散、消化和开发利用,是企业创新行为最主要的构成部分。Sternberg、Horvath、Polanyi、Fallah、Ibrahim和国内学者魏江等在分析知识学习或知识溢出对企业创新行为和创新绩效的影响时,大多使用了知识(包括显性知识和隐性知识)的获取、吸收和利用来度量知识学习。根据他们的研究成果,本研究通过四个题项对知识学习进行度量。

3. 产业集群升级的度量

迄今为止,国内外的文献对于产业集群升级尚没有直接的度量指标。鉴于创新是产业集群升级的本质,应用创新绩效可以反映产业集群升级。根据 Kaplinsky和 Morris 提出的产业集群升级的类型,考虑到发展中国家的产业集群升级通常就是工艺流程升级、产品升级和功能升级这三种类型,而且这三种产业集群升级的类型较充分地反映了产业集群升级通过创新绩效维度来衡量的内容。考虑本书是从创新网络的视角研究产业集群升级,于是采用 Kaplinsky 和 Morris 对产业集群升级的分类,作为产业集群升级的测度变量。本研究根据 Kaplinsky 和 Morris、

Humphrey和 Schmitz、Humphrey 和 Gereffi 提供的升级指标,通过六个题项对产业集群升级进行度量,具体内容见表 4 - 3。

表 4 - 3　产业集群升级的度量

产业集群升级
与同行业主要竞争对手相比年度外观设计专利数量情况
与同行业主要竞争对手相比年度技改项目数量情况
与同行业主要竞争对手相比年度实用新型或发明专利情况
与同行业主要竞争对手相比年度新产品开发数量情况
与同行业主要竞争对手相比年度产品技术档次情况
与同行业主要竞争对手相比年度产品占中高端市场比例情况

4.1.2　研究样本与数据收集

1. 问卷设计

问卷调查法是获取第一手数据最常用的一种调查方法,因为该方法可以获取翔实可靠的第一手数据,具有简便灵活的优点,因此也是国内外实证研究中经常采取的一种数据获取方法。问卷设计是调查设计的一项重要内容,问卷设计的好坏直接影响到数据的质量和实证分析的结论,它是实证研究的开端也是统计分析准确性的基础。本研究分以下几个步骤完成问卷设计工作。

第一,确立问卷的设计内容。在问卷设计之前,为保证调查项目的适宜性、准确性,作者对国内外学者的相关项目的度量内容进行了梳理、归纳和总结。结合本研究的实际需要,借鉴其中的项目内容,为本研究的调查奠定了坚实的理论基础。问卷的设计内容主要是针对产业集群升级的情况进行深入细致的调查,调查内容包括网络结构、创新行为、产业集群升级等方面的具体问题,这些调查内容的设计保证了内容的完备有效。

第二,确立问卷的形式。针对经济管理领域问题的调查,国内外学术界通常采用若干指标来描述或反映所要研究的一个变量。本研究借鉴这种通用的问卷设计格式,所有需要分析的变量均采用了易于构建和执行的李克特量表,采用了李克特五标度打分法。要求问卷填写人指出自己在多大程度上同意或不同意对象所做的陈述,按照"1—完全不同意;2—比较不同意; 3——一般;4—比较同意;5—完全同意"进行打分。

第三,进行量表开发并形成问卷初稿。国内外学者通用的量表开发的原则是尽量选择已经比较完善的标准量表,本研究中的变量度量严格遵循了此原则,为此,作者仔细查阅、分析比对了国外相关实证研究中已开发的研究量表,以使变量运用更加具有说服力。对于没有成熟量表可以参考的部分变量,依据国内外学者对变量内涵的界定,结合我国产业集群的实际情况来设计量表。按照这一思路,作者通过与从事相关领域研究的辽宁大学商学院和经济学院的教授、博士研究生深入访谈,并请他们对调查问卷提出修改意见,经过反复推敲,形成问卷初稿。

第四,量表修改。为保证本研究量表内容的效度,作者将在文献梳理和推理假设基础上所形成的问卷初稿、量表和研究题目交给专家进行内容效度的评价。作者邀请辽宁大学和辽宁工业大学相关领域的教授、副教授、博士研究生以及企业界的高级管理者,对问卷所反映变量的题项的表述、分类是否恰当进行评价。专家学者反馈的结果表明:本研究大多数题项能清晰地表达变量的内容,量表设计比较合理,但是个别量表题项偏多,有的题项表述有些生涩、不够清晰。根据专家反馈的意见,作者修改了相应的题项内容,调整了量表题项数量。

第五,试调研与量表确认。试调研的目的是使问卷更加准确地反映本研究的理论模型,符合我国产业集群的实际特点,更全面地反映调研的问题。本研究在进行大规模问卷发放之前,基于可行性和便捷性,作者将试调研的地点确定在锦州市高新技术产业开发区,从中选择 10 家企业作为试调研样本,通过面访交流,征求并听取这 10 家企业管理者对于问卷的看法、建议,根据试调研的反馈信息对问卷进行了修正和补充,再经过作者邀请的专家讨论,确定了本研究使用问卷的最终稿。

2. 研究样本选择

为保证本研究在实证分析中数据的真实有效,作者从问卷的发放范围、对象、方式、数量等方面入手,认真做好每一方面的工作。考虑本研究命题选取高新技术产业集群中的企业更具有代表性,为了保证样本数据统计分析的准确性,降低因经济区域的不同对统计分析带来的影响,本研究的问卷主要向辽宁省高新技术产业集群内的企业发放。考虑到样本数据的可获得性,作者将大连市高新技术产业园区(简称大连高新区)和锦州市高新技术产业开发区内的产业集群企业确定为问卷的发放对象。具体发放的对象是大连市高新技术产业园区的软件及信息服务、生物医药、数字化装备制造等产业集群中的企业;锦州市高新技术产业开发区的光伏、汽车零部件、精细化工、航空航天新材料等产业集群中的企业。这两个城市的产业集群都具有典型性和代表性,分别是各自城市大力发展的产业集群。

(1)锦州市光伏、汽车零部件、精细化工和航空航天新材料产业集群概况

锦州市高新技术产业开发区是 1992 年 10 月经辽宁省人民政府批准的辽西地区唯一的省级高新技术产业开发区,汇聚了光伏、生物医药、机电一体化、新能源、新材料、汽车零部件等高新技术产业。在锦州市工业经济的众多产业中,光伏、汽

车零部件和精细化工三大产业集群企业的技术和产品在国内甚至国际市场都占有一席之地。位于锦州市滨海新城区的锦州硅材料及光伏高新技术产业化基地是辽宁省重点推进的特色产业基地之一,2007 年和 2010 年该基地分别被列入国家火炬计划和中国可再生能源示范基地。

锦州市汽车零部件产业集群包括以万得、汉拿等为代表的 42 家企业。其中国家级高新技术企业 5 家、省级工程技术研发中心 2 家。初步形成了电动汽车及零部件产品研发、试验、检测及工业化生产等开发体系,围绕汽车配件的各种产品项目品种齐全,主要包括汽车发动机、起动机、马达、减震器、安全气囊、制动器、电动汽车及关键零部件、新能源汽车用大容量超级电容器等,产业链条比较完整。

锦州市作为以石化工业为主的工业城市,其西海石化产业基地依托资源条件、产业基础和港口优势,加大项目引进和园区建设力度,着力打造以安全环保、高科技和高附加值为特色的精细化工临港产业集群,不断完善精细化工产业链。精细化工产业集群已初具规模。锦州市精细化工产业集群依托石化产业的优势和氯化钛白粉等重大产品开发项目,加大了投资和招商引资的力度来发展氟化工、润滑油及添加剂等产品,争取将精细化工产业集群打造成为技术含量高、附加值高的全国最大的精细化工产业集群。

锦州市航空航天新材料产业集群,依托锦州航星集团有限公司、凌海金城航空器材有限公司、锦州凯兰航空技术有限公司,形成了飞机导航通信设备、飞机客舱内装饰件、航空零部件、飞机复合材料等系列产品。

此外,成立于 1996 年的锦州高新技术产业创业服务中心在 2002 年被科技部认定为国家级科技企业孵化器,当时是辽西唯一的国家级孵化器。2011 年顺利通过了"国家级科技企业孵化器"的复核,成为全国 319 家继续保持国家级孵化器资格的一员。

上述锦州市这些产业集群企业具有如下特征:一是以内资企业为主。二是制造业是高新技术产品生产的主体。黑色金属冶炼及压延加工业、有色金属冶炼及压延加工业、化学原料及化学制品制造业占全部产业增加值的 50.97%;黑色金属冶炼及压延加工业居于首位。三是新材料、光电一体化是高新技术产业的主流,两者的产值占全部产业的产值比分别为 68.61% 和 13.62%。为加速这些产业集群的发展,锦州市不断推动"产学研用"结合创新,加强产学研技术创新联盟建设以及创新成果的转化,其中锦州光伏产业技术创新战略联盟升格为省级创新联盟。在不断发展中,锦州市汽车零部件和精细化工产业集群已走过萌芽期,正进入快速成长的新阶段。

(2)大连市软件及信息服务业、生物医药和数字制造产业集群概况

大连高新区的软件及信息服务业是从 1998 年开始兴起的,20 多年来,软件和

信息服务业如今已成为大连高新区最具优势的主导产业。目前,高新区内入驻的世界 500 强企业及行业领军企业超过 110 家,IT 从业人员达 16 万人以上,成为我国首个千亿级软件和服务外包产业集群。大连高新区进一步提高产业层次,引导企业进军云计算、物联网、移动互联网、大数据、智慧城市等新一代信息技术领域,并立足已有优势,将产业触角向制造业等领域延伸渗透,努力打造软件和信息服务业的"升级版"。

大连高新区双 D 港生物产业园区是大连生物医药产业主要集中地,2005 年大连高新区被认定为国家火炬计划生物医药产业基地。目前该医药基地拥有亚维药业、美罗药业、珍奥集团等国内外生物医药企业近 200 家和多家科研机构,其中有 4 个国家级研发中心。这些研究机构和研发中心配备了多功能实验室和各种专业仪器设备以及中试平台,能够满足基因工程、蛋白质纯化、细胞培养等基础研发的需要。经过多年的努力和发展,大连生物医药产业在产品研发、技术成果转化、生产制造、中介服务与商品物流和展示等方面均获得发展,已经形成了完整、业态齐全的生物医药产业链,成为大连高新区的主导产业之一。

数字制造业产业集群主要集中在双 D 港,目前,已经聚集了大连机床、光洋科技、大森数控等数字化装备制造企业 400 家,依托这些企业,积极发展数控系统、数字化飞机装备、船舶电子和医疗电子等产业,近年来已取得了许多有重大影响的科研成果。

上述几个代表性的产业集群,充分发挥大连理工大学、大连海事大学等高等院校以及各科研机构的科研开发的优势,在产品创新以及产业结构的调整中取得了初步成效,以光通信有源器件等为代表的一批产品正逐步从价值链低端的制造加工向研发创新高端环节延伸,高附加值的项目纷纷上马。大连已形成一批专业化、国际化、组团式的研发转化基地,为创新重点向产业链高端延伸积聚能量。

本研究的调查对象是上述各产业集群企业内的中级、高级管理人员和技术人员,主要采用向企业发放调查问卷的方式收集数据。在问卷发放方式上,主要采取直接和间接两种方式进行。直接方式是由作者亲自到锦州市高新技术产业开发区对企业进行调研时,在访谈中直接面对面发放并回收。这种直接方式问卷回答的有效率和回收率都非常高,但是受各方面条件的限制,问卷发放的数量很有限。间接方式是借助现代通信技术手段和个人关系网络等渠道进行样本收集,这种方式的发放是本研究问卷发放的主要方式。本次调研包括直接和间接方式,总共发出问卷 480 份,但是由于诸多原因,部分受方企业拒答,有的问卷即使回答,但可能理解有误或技术上错误,造成问卷无效,作者将此类问卷视为不符合要求问卷,给予删除。采取直接发放的问卷 40 份全部回收,采取间接发放的问卷 440 份,回收问卷 246 份,其中无效问卷 28 份,共获得有效问卷 218 份,有效回收率为 45.42%。

4.1.3　分析方法

本研究主要应用了描述性统计分析、信度和效度检验分析、相关分析以及结构方程模型分析等方法。

1. 描述性统计分析

它是对数据特征的描述,本研究通过样本数据的均值、方差来反映样本基本数据的集中趋势和离散程度。

2. 信度和效度检验分析

信度检验是通过 Cronbach α 系数检验变量与其对应题项的一致性和稳定性;效度检验是检验测量工具测量的正确性,主要内容包括内容效度和构建效度。内容效度是指检验变量与测度题项在内容上的一致性;构建效度是指测量出理论概念和特征的程度。本研究针对网络结构、创新行为和产业集群升级设计了具体题项,基本上是建立在相关理论基础上,并结合了学者的意见,经过反复修改而确定的,可以确信具有内容效度。鉴于因子分析是检测构建效度最常用的方法,因此本研究选用该方法验证各变量及对应题项的构建效度。

3. 相关分析

相关分析是对两个变量之间线性关系的描述与度量。本研究通过计算网络结构、创新行为与产业集群升级中具体变量之间的相关系数,来确认各研究变量间的相关程度。

4. 结构方程模型分析

本研究通过结构方程模型来对关于网络结构、创新行为与产业集群升级的理论假设进行验证分析。

4.2　数 据 分 析

4.2.1　描述性统计分析

1. 调查企业的基本情况

调查企业的基本情况主要包括年销售额、从业人员数、成立年限和所属行业几个方面,具体见表 4 - 4。其中年销售额在 100 万元以上的企业占 96.79%,年销售额在 100 万元以下的企业仅占 3.21%,说明绝大部分样本企业是具有一定的基础创新能力的,这一点也满足了本研究增强统计的有效性的要求。

表4-4　调查企业的基本情况

企业规模	分类标准	样本量	百分比
年销售额	100万元以下	7	3.21%
	100万~500万元	31	14.22%
	500万~1000万元	48	22.02%
	1000万~2000万元	46	21.10%
	2000万~5000万元	55	25.23%
	5000万元以上	31	14.22%
从业人员数	50人以下	36	16.51%
	50~100人	45	20.64%
	100~300人	55	25.23%
	300~500人	53	24.31%
	500人以上	29	13.30%
成立年限	5年以下	51	23.39%
	5~8年	28	12.84%
	9~15年	98	44.95%
	>16年	37	16.97%
	未报告	4	1.83%
所属行业	汽车零部件	54	24.77%
	航空航天新材料	23	10.55%
	光伏	17	7.80%
	软件	57	26.15%
	生物医药	21	9.63%
	数字化装备制造	18	8.26%
	精细化工	28	12.84%

注:由于四舍五入,百分比存在一定误差。

2.调查企业各变量的统计分析

调查企业变量统计分析结果见表4-5。

表 4 - 5　调查企业变量统计分析结果

题项	描述性统计				
	样本量	最大值	最小值	平均值	标准差
网络中心性					
贵企业在当地知名度高、影响力较大	218	5	1	3.57	0.84
本地其他企业希望且容易与贵企业建立联系	218	5	1	3.35	0.82
贵企业经常充当其他企业认识的介绍人	218	4	1	2.38	0.76
网络密度					
贵企业与本地供应商发生联系的频繁程度	218	5	1	3.47	0.96
贵企业与本地客户发生联系的频繁程度	218	5	1	3.57	0.88
贵企业与大学、科研机构联系的频繁程度	218	5	1	3.25	0.93
贵企业与政府部门、中介服务机构联系的频繁程度	218	5	1	3.16	0.92
资金获取					
贵企业能较容易获得所需数量的资金	218	4	1	2.26	0.71
贵企业能较容易获得所需种类的资金	218	4	1	2.31	0.68
贵企业能以较低成本获得资金	218	5	1	2.86	0.81
创新人才获取					
贵企业能较容易雇佣到所需不同类型的人才	218	5	1	3.21	0.92
贵企业能较容易雇佣到所需数量的人才	218	5	1	3.16	0.84
贵企业能以较低成本雇佣到所需人才	218	5	1	3.17	0.95
贵企业创新所需人才大多来自园区内部	218	5	1	3.34	0.87
知识学习					
贵企业容易从产业集群内获取各种知识技术技能	218	5	1	3.57	0.91
贵企业容易从产业集群内获取技术或专利	218	5	1	3.23	0.86
贵企业能很快消化和应用获取的知识技术	218	5	1	3.34	0.89
贵企业能很快从产业集群外获取技能、技术或专利	218	4	1	2.42	0.73
产业集群升级					
与同行业主要竞争对手相比年度外观设计专利数量情况	218	5	1	3.16	0.97
与同行业主要竞争对手相比年度技改项目数量情况	218	5	1	3.47	0.87

表 4 - 5(续)

题项	描述性统计				
	样本量	最大值	最小值	平均值	标准差
与同行业主要竞争对手相比年度实用新型或发明专利情况	218	4	1	2.49	0.72
与同行业主要竞争对手相比年度新产品开发数量情况	218	5	1	3.18	0.85
与同行业主要竞争对手相比年度产品技术档次情况	218	5	1	3.23	0.99
与同行业主要竞争对手相比年度产品占中高端市场比例情况	218	5	1	3.26	0.89

4.2.2 信度和效度检验分析

在实证分析中,只有通过信度和效度的检验,相应的理论假设才具有说服力。下面就从信度和效度方面对有关变量进行检验。

1. 量表信度分析

信度也被称为可靠性,Camines 和 Zeller 认为,信度就是指测量结果一致性或稳定性的程度。常用的衡量信度的方法有两种:一种是重测信度,是同一批受试者在前后不同时间做同一份量表,然后以两次测量的分数计算相关系数,系数越高越具有稳定性;另一种是折半信度(内在一致性),只根据一次测量的结果来估计信度,可以测度同一量表中反映单一概念的各测量指标的一致性程度,多个指标量表的信度检验比较适合采取此种方法。

本研究对量表指标的一致性进行检验,采用常用的 Cronbach α 系数来进行检验。Cronbach α 系数是介于 0 和 1 之间的值,系数越高,则代表其测量的内容越趋于一致。本研究按照 Nunnally 和 Bernstein 建议的 0.7 为标准,Cronbach α 系数取值范围及含义见表 4 - 6。

表 4 - 6 Cronbach α 系数取值范围及含义

Cronbach α 系数值	含义
$0.9 \leqslant$ Cronbach $\alpha \leqslant 1$	表示量表的内在信度非常高
$0.8 \leqslant$ Cronbach $\alpha < 0.9$	表示量表的内在信度比较高

表 4 - 6(续)

Cronbach α 系数值	含义
0.7 ≤ Cronbach α < 0.8	表示量表的内在信度可以接受
0 ≤ Cronbach α < 0.7	表示量表的内在信度较差

经过检验,网络结构、创新行为和产业集群升级三个要素的变量信度检查结果见表 4 - 7。

表 4 - 7　变量信度检查结果

主要因素	变量	变量类型	
		题项范围	Cronbach α
网络结构	网络中心性	8 ~ 10	0.812
	网络密度	11 ~ 14	0.816
创新行为	资金获取	15 ~ 17	0.838
	创新人才获取	18 ~ 21	0.776
	知识学习	22 ~ 25	0.735
产业集群升级	产业集群升级	26 ~ 31	0.746

从表 4 - 7 可以看出,网络结构、创新行为和产业集群升级三个要素中内部具体变量的 Cronbach α 值均符合变量信度一致性检验 Cronbach α ≥ 0.7 的标准的要求,说明各题项通过了变量信度的检验,均具有良好的信度。

2. 量表效度分析

效度是指测量工具能正确地测量出需要其测量的变量特质的程度,也称为有效性。效度分析能够反映量表的指标真正衡量事物的真实程度,它能揭示变量与指标之间的关系。效度分析分为外部效度和内部效度。外部效度指样本的观测结果能够推广到普通总体的程度;内部效度指通过测量工具的设计能够得出需要其测量的变量的特质。内部效度主要包括内容效度、效标关联效度和建构效度。

(1)内容效度

内容效度是指测量量表在多大程度上涵盖了主题。可以通过检验测量工具是否真正测量到所有测量的变量和是否涵盖了所有测量的变量来判断。本研究为确认内容效度具体做了两方面工作:第一,在文献研究和访谈的基础上选取测量指标,参考了现有的实证研究的问卷设计,并结合变量特征加以调整、修订,以期达到内容效度；第二，为保证问卷内容更加清晰完整、充分覆盖所测量的内容，作者同相关领域的专家、学者对问卷进行了反复讨论和修改，在正式发放前进行试调查，对试调查问卷中存在的问题进行修正，因此，确信有一定的内容效度。

（2）效标关联效度

效标关联效度是指测量工具的内容具有预测或估计的能力。由于本研究内容不具有预测性质，因此不进行该方面的检验。

（3）建构效度

建构效度是指测量理论上的建构或特性的准确程度。Kerlinger 提出建构效度的验证可以有三种方法，其中因子分析法是应用较广泛的方法，该方法是通过同一建构中的因子负荷值的大小来反映建构效果的好坏。一般来说，同一建构中因子负荷值越大（通常为 0.5 以上），表示建构效度越好。

本研究采用因子分析法来测量建构效度，首先要通过 KMO 检验测量变量数据是否存在相关关系，以此来确定变量是否适宜进行因子分析。一般来说，KMO 越接近 1，说明越适宜做因子分析，KMO 越小，说明越不适宜做因子分析。具体表现为：KMO≥0.9，非常适合；0.8≤KMO<0.9，很适合；0.7≤ KMO<0.8，适合；0.6≤KMO<0.7，不太适合；0.5≤KMO<0.6，很勉强；KMO<0.5，不适合。下面对网络结构、创新行为和产业集群升级的各个维度进行因子分析。

在本研究中网络结构通过网络中心性和网络密度两个维度来测定，各指标因子载荷值及 KMO 检验结果见表4-8。

表4-8　网络结构各指标因子载荷值及 KMO 检验结果

变量	题项	因子载荷值		KMO 检验结果
		NC	*ND*	
网络中心性	贵企业在当地知名度高、影响力较大	0.772		KMO 统计量 0.716
	本地其他企业希望且容易与贵企业建立联系	0.717		Bartlett 球度检验 64.328
	贵企业经常充当其他企业认识的介绍人	0.743		（显著性）sig. 0.000
网络密度	贵企业与本地供应商发生联系的频繁程度	0.852		KMO 统计量 0.784
	贵企业与本地客户之间发生联系的频繁程度		0.852	Bartlett 球度检验 187.743
	贵企业与大学、科研机构联系的频繁程度		0.762	
	贵企业与政府部门、中介服务机构联系的频繁程度		0.738	（显著性）sig. 0.000

　　表 4 - 8 显示了网络中心性和网络密度各指标的因子载荷值和 KMO 检验结果,显示结果表明:首先,网络中心性和其 3 个用于测度题项的 KMO 值为 0.716,因子载荷最大值和最小值分别为 0.772 和 0.717,3 个题项的因子载荷值均大于 0.5,Bartlett 统计值的显著性概率为 0,表明网络中心性的建构效度良好;其次,网络密度与其 4 个测度题项的 KMO 值为 0.784,因子载荷最大值和最小值分别为 0.852 和 0.738,4 个题项的因子载荷值均大于 0.5,Bartlett 统计值的显著性概率为 0,表明网络密度的建构效度良好。

　　本研究中创新行为是通过资金获取、创新人才获取和知识学习这三个维度来测度的,各指标因子载荷值及 KMO 检验结果见表 4 - 9。

表 4 - 9　创新行为各指标因子载荷值及 KMO 检验结果

变量	题项	因子载荷值			KMO 检验结果
		CG	AT	KL	
资金获取	贵企业能较容易获得所需数量的资金	0.850			KMO 统计量 0.816
	贵企业能较容易获得所需种类的资金	0.814			Bartlett 球度检验 357.062
	贵企业能以较低成本获得资金	0.825			(显著性) sig. 0.000
创新人才获取	贵企业能较容易雇佣到所需不同类型的人才		0.746		KMO 统计量 0.724
	贵企业能较容易雇佣到所需数量的人才		0.771		Bartlett 球度检验 147.743
	贵企业能以较低成本雇佣到所需人才		0.762		(显著性) sig. 0.000
	贵企业创新所需人才大多来自园区内部		0.713		
知识学习	贵企业容易从产业集群内获取各种知识技术技能			0.781	KMO 统计量 0.735
	贵企业容易从产业集群内获取技术或专利			0.802	Bartlett 球度检验 195.667
	贵企业能很快消化和应用获取的知识技术			0.712	(显著性) sig. 0.000
	贵企业能很快从产业集群外获取技能、技术或专利			0.734	

　　表 4 - 9 显示了资金获取、创新人才获取和知识学习各指标因子载荷值和 KMO 检验结果,显示结果表明:首先,资金获取与其对应的三个题项 KMO 值为 0.816,因子载荷最大值和最小值分别为 0.850 和 0.814,三个题项的因子载荷值均

大于 0.5,Bartlett 统计值的显著性概率为 0,表明资金获取的建构效度良好;其次,创新人才获取与其对应的四个题项 KMO 值为 0.724,因子载荷最大值和最小值分别为 0.771 和 0.713,四个题项的因子载荷值均大于 0.5,Bartlett 统计值的显著性概率为 0,表明创新人才获取建构效度良好;最后,知识学习与其对应的四个题项 KMO 值为 0.735,因子载荷最大值和最小值分别为 0.802 和 0.712,四个题项的因子载荷值均大于 0.5,Bartlett 统计值的显著性概率为 0,表明知识学习建构效度良好。可见,创新行为的三个维度,即资金获取、创新人才获取和知识学习均具有良好的建构效度。

本研究中产业集群升级主要表现为工艺流程升级、产品升级和功能升级,对产业集群升级各指标因子载荷值及 KMO 检验结果见表 4 - 10。

表 4 - 10 产业集群升级各指标因子载荷值及 KMO 检验结果

变量	题项	因子载荷值	KMO 检验结果
产业集群升级	与同行业主要竞争对手相比年度外观设计专利数量情况	0.632	KMO 统计量 0.743 Bartlett 球度检验 175.687 (显著性)sig. 0.000
	与同行业主要竞争对手相比年度技改项目数量情况	0.693	
	与同行业主要竞争对手相比年度实用新型或发明专利情况	0.746	
	与同行业主要竞争对手相比年度新产品开发数量情况	0.725	
	与同行业主要竞争对手相比年度产品技术档次情况	0.651	
	与同行业主要竞争对手相比年度产品占中高端市场比例情况	0.617	

表 4 - 10 中显示了产业集群升级的因子载荷值数据和 KMO 检验结果,六个题项中按顺序前两项表示工艺流程升级;中间两项表示产品升级;最后两项表示功能升级。结果表明产业集群升级与其对应的六个题项 KMO 值为 0.743,因子载荷最大值和最小值分别为 0.746 和 0.617,Bartlett 统计值的显著性概率为 0,六个题项的因子载荷值均大于 0.5,表明产业集群升级的建构效度良好。

提取因子过程中各变量之间相关系数的计算结果见表4－11。

表4－11　变量之间相关系数的计算结果

变量	网络中心性	网络密度	资金获取	创新人才获取	知识学习	产业集群升级
网络中心性	1					
网络密度	0.247＊＊	1				
资金获取	0.316＊＊	0.374＊＊	1			
创新人才获取	0.278＊＊	0.297＊＊	0.840＊＊	1		
知识学习	0.216＊＊	0.264＊＊	0.618＊＊	0.853＊＊	1	
产业集群升级	0.198＊＊	0.187＊＊	0.582＊＊	0.695＊＊	0.873＊＊	1

注:＊＊表示显著性水平$P < 0.01$(双尾检验)。

表4－11反映了各变量间的相关系数,从中可以看出,网络结构的两个维度和创新行为的三个维度之间、创新行为的三个维度与产业集群升级之间具有正向的相关关系,而且在统计上具有显著性。这一结果表明网络结构对创新行为以及创新行为对产业集群升级的正向作用关系,具体来说,网络中心性和网络密度对资金获取、创新人才获取、知识学习具有正向作用,即网络结构对创新行为具有正向作用;资金获取、创新人才获取、知识学习也正向作用于产业集群升级,即创新行为对产业集群升级具有正向作用。此外,从表4－11中还可以发现,创新行为中的资金获取与创新人才获取之间、创新人才获取与知识学习之间也存在正向的相关关系,且在统计上具有显著性,说明创新行为的这三个维度之间具有正向的相互作用关系。

虽然经过计算和分析各变量间的相关系数,证实了网络结构、创新行为和产业集群升级的各维度之间存在显著的相关性,但是仅从这一点还难以说明各变量之间因果关系的作用路径的情况以及影响方式的差异,要深入分析此方面情况,需要借助结构方程模型分析方法。

4.3　结构方程模型分析

4.3.1　结构方程模型分析方法

1.结构方程模型的内涵与优点

结构方程模型(Structural Equation Modeling,简写为SEM)是反映潜变量和显变量的一种方程,它将潜变量模型和路径分析整合起来,可以解释一个或多个自变量与一个或多个因变量之间内在的结构关系,根据理论模型与测量数据的一致性检验结果来评价理论模型的适当性,从而验证研究者事先假设的理论模型是否合理,建模是否正确。李怀祖认为结构方程模型作为一种统计分析工具,它综合了验证性因子分析、路径分析和多元回归分析方法。它是一种被广泛应用于经济学、社会学等众多领域非常通用的实证分析模型。

Bollen 归纳了结构方程模型与传统的统计方法相比的优点,主要表现为:第一,可以同时处理结构图表中的多个因变量;第二,允许自变量和因变量测量误差的存在;第三,对于因子结构和因子关系的估计可以通过一个步骤同时完成;第四,容许更加复杂的模型;第五,估计整个模型的拟合程度。

2. 结构方程模型的分析步骤

(1)模型建构:首先根据前期的研究成果或理论建立研究假设的初始理论模型,并且明确不能直接测定的各潜变量之间的关系以及潜变量与观测变量间的相互关系,通过对因子负荷或因子相关系数等参数的数值或关系的限制来建构复杂模型。

(2)模型拟合:就是对建构的初始模型的参数进行估计,为了使模型隐含的协方差矩阵与样本协方差矩阵"差距"最小,在估计中通常采用最小二乘法拟合模型来求参数。

(3)模型评价:模型评价就是检验结果方程模型的解是否适当,模型的拟合情况是否良好。进行模型评价首先要取得模型参数估计值,通过迭代估计各参数是否收敛以及与初始模型的关系是否在合理的范围,来衡量模型的拟合程度。

(4)模型修正:如果构建的初始模型的解不适当,模型中存在参数的估计值不在合理范围的情况,说明模型不能很好地拟合数据,此时就需要对模型进行修正和再次设定。在这种情况下,研究人员通过增删、重组题目或修改模型参数并依据某一样本数据对模型进行修正,最好用另一个独立样本交互确定修正模型。

由于本书将创新网络各要素对产业集群升级的影响整合在一起研究它们之间的关系,而 AMOS 软件具有将变量间的直接和间接关系通过清晰的路径反映出来的特点和优势,因此本书在对数据进行分析和模型检验中选用了该软件作为分析工具,运用结构方程模型技术可以有效地避免由于变量测量误差带来的干扰,这一点有利于对本书所提出的问题进行理解和解释。当然,正如 Hoyle 所指出,结构方程模型是建立在一定的理论基础之上,以验证某一先期提出的理论模型的适用性的一种统计技术,它是一种证实性、验证性技术,而非探索性技术。

结构方程的假设模型的评估需要多个拟合指数才能评估其拟合情况,用于评价结构方程模型的拟合指数主要是通过测定假设模型与实际观察数据之间的拟合情况来对假设模型进行评价。温忠麟、侯杰泰和马什赫伯特等人认为结构方程模型拟合程度的评价应使用多个拟合参数,才能保证对理论假设的验证是建立在拟合良好的模型的基础上的。本书结合实践应用的广泛性,选取以下指数来评价结构方程的假设模型的拟合程度,见表4-12。

表4-12 结构方程的假设模型的拟合指数表

拟合指数	取值	含义
卡方自由度比(X^2/df)	$X^2/df < 2$	模型具有理想的拟合度
	$2 < X^2/df < 5$	模型可以接受
近似误差均方根(RMSEA)	RMSEA < 0.06	可以视为好模型
	RMSEA = 0.8	可以接受的模型拟合门槛
拟合优度指数(CFI)	CFI≥0.9	模型可以接受
比较拟合指数(NNFI)	NNFI≥0.9	模型可以接受
标准化残差均方根指数(SRMR)	0≤SRMR≤0.08	模型拟合度佳

3. 结构方程模型中的变量说明

根据结构方程模型中的变量是否能够直接获取的情况,可将变量分为测量变量和潜变量两类。测量变量是指通过问卷调查、观测等方式直接测量能够获得的变量;潜变量是指由测量变量推测出来的变量。根据变量是否受到模型中其他任何变量的影响,又可将潜变量分为内在潜变量和外在潜变量,将测量变量分为外在测量变量和内在测量变量,受到影响的就是内在测量变量,不受影响的就是外在测量变量。通常外在测量变量可作为自变量,内在测量变量可作为因变量,当因变量同时又是影响其他变量的自变量时,就成为中介变量。

4.3.2 模型检验

本书应用结构方程模型分析是通过以下步骤进行的:首先根据第3章产业集群升级机理理论,构建创新网络影响产业集群升级的初始模型;然后对该模型进行拟合修正,使其达到符合实际和理论的理性模型;最后通过检验验证,明晰产业集群升级理论模型。本研究是属于结构方程模型分析中的产生模型分析,该模型需要通过以下检验。

1. 正态性检验

在对结构方程模型进行估计时,检验观测变量是否服从多元正态分布是应用极大似然估计法的前提,这就需要通过观测变量的偏态系数和峰态系数的计算来对其进行正态性检验。表 4-13 的计算结果表明,各观测变量的偏态系数和峰态系数的绝对值小于 1,且各变量的 U_1 和 U_2 值在 $-2 \sim 2$ 之间,符合 U 检验的动差法检验标准,各观测变量在 $a = 0.05$ 的显著性水平上接受假设,可以确认该模型的变量服从正态分布。

表 4-13　变量的正态性检验

题项	偏态系数		峰态系数	
	统计量	标准差	统计量	标准差
网络中心性				
贵企业在当地知名度高、影响力较大	-0.381	0.253	-0.443	0.500
本地其他企业希望且容易与贵企业建立联系	-0.736	0.253	-0.215	0.500
贵企业经常充当其他企业认识的介绍人	-0.164	0.253	-0.517	0.500
网络密度				
贵企业与本地供应商发生联系的频繁程度	0.935	0.253	0.555	0.500
贵企业与本地客户之间发生联系的频繁程度	-0.623	0.253	-0.456	0.500
贵企业与大学、科研机构联系的频繁程度	-0.574	0.253	0.835	0.500
贵企业与政府部门、中介服务机构联系的频繁程度	-0.137	0.253	-0.631	0.500
资金获取				
贵企业能较容易获得所需数量的资金	0.243	0.253	-0.534	0.500
贵企业能较容易获得所需种类的资金	0.209	0.253	0.628	0.500
贵企业能以较低成本获得资金	-0.407	0.253	0.208	0.500
创新人才获取				
贵企业能较容易雇佣到所需不同类型的人才	-0.412	0.253	0.173	0.500
贵企业能较容易雇佣到所需数量的人才	-0.247	0.253	-0.354	0.500
贵企业能以较低成本雇佣到所需人才	-0.277	0.253	-0.309	0.500
贵企业创新所需人才大多来自园区内部	-0.412	0.253	0.327	0.500
知识学习				
贵企业容易从产业集群内获取各种知识技术技能	-0.324	0.253	-0.312	0.500
贵企业容易从产业集群内获取技术或专利	-0.641	0.253	0.112	0.500
贵企业能很快消化和应用获取的知识技术	-0.612	0.253	0.482	0.500
贵企业能很快从产业集群外获取技能、技术或专利	-0.212	0.253	0.167	0.500

表4－13(续)

题项	偏态系数		峰态系数	
	统计量	标准差	统计量	标准差
产业集群升级				
与同行业主要竞争对手相比年度外观设计专利数量情况	−0.304	0.253	0.418	0.500
与同行业主要竞争对手相比年度技改项目数量情况	−0.163	0.253	0.221	0.500
与同行业主要竞争对手相比年度实用新型或发明专利情况	0.414	0.253	−0.354	0.500
与同行业主要竞争对手相比年度新产品开发数量情况	−0.388	0.253	−0.342	0.500
与同行业主要竞争对手相比年度产品技术档次情况	−0.254	0.253	−0.325	0.500
与同行业主要竞争对手相比年度产品占中高端市场比例情况	0.312	0.253	−0.360	0.500

2. 模型的初步拟合与评价

通过 AMOS 6.0 软件绘制本研究的初始结构方程模型,如图4－1所示。该模型通过设置7个外生显变量(nc_1、nc_2、nc_3、nd_1、nd_2、nd_3、nd_4)来对2个外生潜变量(NC——网络中介性、ND——网络密度)进行测量,设置17个内生显变量(cg_1、cg_2、cg_3、at_1、at_2、at_3、at_4、kl_1、kl_2、kl_3、kl_4、cu_1、cu_2、cu_3、cu_4、cu_5、cu_6)来对4个内生潜变量(CG——创新资金获取、AT——创新人才获取、KL——知识学习、CU——产业集群升级)进行测量。

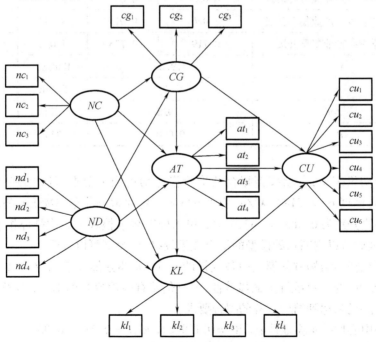

图4－1　初始结构方程模型

　　本研究共获取 218 份样本数据,为了对结构方程模型进行拟合与调整,同时对经调整和修正的模型进行交互确定,将 218 份样本数据随机拆分为 118 份一组和 100 份一组,用 118 份样本数据对模型进行拟合及调整,用 100 份样本数据对通过检验的模型进行交互确定,初始模型的拟合结果如表 4 – 14 所示。

表 4 – 14　初始模型拟合结果

路径	标准化路径系数	路径系数	C. R.	P
网络中心性→资金获取	0.014	0.012	0.109	0.616
网络中心性→创新人才获取	0.379	0.389	3.709	0.000
网络中心性→知识学习	0.354	0.341	3.533	0.000
网络密度→资金获取	0.039	0.035	0.326	0.713
网络密度→创新人才获取	0.391	0.312	3.777	0.000
网络密度→知识学习	0.366	0.301	3.526	0.000
资金获取→创新人才获取	0.533	0.518	5.301	0.000
创新人才获取→知识学习	0.558	0.525	5.110	0.000
资金获取→产业集群升级	0.035	0.031	0.709	0.461
创新人才获取→产业集群升级	0.026	0.015	3.533	0.000
知识学习→产业集群升级	0.719	0.726	7.036	0.000
X^2	419.23		RMSEA	0.085
df	218		SRMR	0.062
X^2/df	1.923		CFI	0.942
P	0.000		TLI	0.957

　　拟合结果表明,各项模型拟合的检验指标均达到了要求,具体结果为:X^2 为 419.23(自由度 df 为 218),X^2/df 为 1.923 < 2,各项拟合指数 RMSEA、SRMR、CFI 和 TLI 的值分别为 0.085,0.062,0.942 和 0.957,各项检验指数均符合相应的标准和要求,因此可以判断初始模型的拟合效果较好,该模型可以接受。

　　虽然在初始结构方程模型中各变量的 C. R. 大部分都大于 1.96 的参考值,而且在 $P < 0.05$ 时具有统计上的显著性,但是仍然有少数变量的 C. R. 小于 1.96,主要有以下路径未达到结构方程的拟合要求:

　　网络中心性→资金获取:C. R. = 0.109 < 1.96,$P = 0.616 > 0.05$。

　　网络密度→资金获取:C. R. = 0.326 < 1.96,$P = 0.713 > 0.05$。

资金获取→产业集群升级:C. R. $=0.709<1.96$,$P=0.461>0.05$。

一般而言,由于建模本身的问题或调研的数据存在偏差,初始模型的拟合成功很少能够通过一次运算完成。针对本研究中有关资金获取的路径均未能通过的情况,作者将其从模型中删去以避免由于模型本身的问题造成偏差,同时通过预留的数据对修正后的模型进行交互验证,以避免或减少问卷调查数据造成的偏差。

3. 模型调整与修正

鉴于初始模型中存在不能通过检验的路径系数,因此需要对其进行调整修正,本书通过删除初始模型这些路径来对其进行调整并修正,通过 AMOS 对导入的数据再次进行拟合运算,结果见表 4 – 15。

表 4 – 15　修正模型拟合结果

路径	标准化路径系数	路径系数	C. R.	P
网络中心性→创新人才获取	0.396	0.384	3.225	0.001
网络中心性→知识学习	0.374	0.381	3.659	0.000
网络密度→创新人才获取	0.385	0.763	3.546	0.000
网络密度→知识学习	0.473	0.469	4.117	0.000
资金获取→创新人才获取	0.476	0.375	4.547	0.000
创新人才获取→知识学习	0.527	0.513	4.475	0.001
创新人才获取→产业集群升级	0.648	0.637	5.874	0.000
知识学习→产业集群升级	0.715	0.743	7.038	0.000
X^2	296.23		RMSEA	0.083
df	218		SRMR	0.064
X^2/df	1.36		CFI	0.932
P	0.000		TLI	0.943

拟合结果表明,各项模型拟合的检验指标均达到了要求,具体结果为:X^2 为269.23(自由度 df 为 218),X^2/df 为 $1.36<2$,各项拟合指数 RMSEA、SRMR、CFI 和 TLI 的值分别为 0.083,0.064,0.932 和 0.943,各项检验指数均符合相应的标准和要求,因此可以确定修正模型拟合效果较好,该模型可以接受。

4. 模型确定

本书对于初始结构方程模型的调整和修正是通过将未能通过的路径予以删除的方法,避免了由于模型本身的问题造成少部分路径不能通过验证的情况。然而,该模型在理论上是否具有普遍适用性、是否过于依赖特定样本的问题,仅通过删除通过路径的办法是不能解决的,还需对其进行交互效度评价才能确定。

鉴于探索性模型分析和验证性模型分析都采用同一个样本数据是达不到真正的验证效果的,因此采取交互评价,需要用另外新的样本对修正后的模型进行拟合评价。验证性样本可以通过两种方法来获取,一种方法是再次收集样本数据,另一种方法是将原有较大的样本随机分成两部分,一部分用于探索性模型修正,另一部分用于验证性分析。

由于本研究调查阶段已经获得218份产业集群企业样本,再重新获取大量样本数据难度很大,因此采取将218份样本随机拆成118份和100份两部分的做法,其中118份用于前面的初始模型拟合,剩余的100份样本数据(SEM分析的最小样本容 $N >$ 100)导入AMOS用于修正模型的验证性分析,修正模型交互验证结果见表4-16。

表4-16　修正模型交互验证结果

路径	标准化路径系数	路径系数	C. R.	P
网络中心性→创新人才获取	0.396	0.384	3.225	0.001
网络中心性→知识学习	0.374	0.381	3.659	0.000
网络密度→创新人才获取	0.385	0.763	3.546	0.000
网络密度→知识学习	0.473	0.469	4.117	0.000
资金获取→创新人才获取	0.374	0.375	3.547	0.000
创新人才获取→知识学习	0.527	0.513	3.475	0.001
创新人才获取→产业集群升级	0.648	o.637	4.874	0.000
知识学习→产业集群升级	0.715	0.743	7.038	0.000
X^2	287.91		RMSEA	0.084
df	178		SRMR	0.062
X^2/df	1.617		CFI	0.932
P	0.000		TLI	0.946

修正模型的交互验证结果表明,各项模型拟合的检验指标均达到了要求,具体结果为: X^2 为287.91(自由度 df 为178), X^2/df 为1.617 < 2,各项拟合指数RMSEA、SRMR、CFI和TLI的值分别为0.084,0.062,0.932和0.946,各项检验指数均符合相应的标准和要求,此外,修正模型中全部的 C. R. 值在 $P < 0.05$ 的水平上均大于1.96,具有统计显著性。因此可以确定修正模型拟合效果较好,该模型

通过检验得到确认。

经过交互验证,可以确认该修正模型为最终的较理性模型,为了更全面清晰地分析解释各变量之间的关系,还需要通过效应分解,来比较各变量之间的作用效果。修正模型的直接效应、间接效应和总效应见表4-17。

表4-17　修正模型的直接效应、间接效应和总效应

	变量	网络中心性	网络密度	资金获取	创新人才获取	知识学习
直接效应	资金获取	—	—	—	—	—
	创新人才获取	0.353	0.362	0.504	—	—
	知识学习	0.344	0.379	—	0.512	—
	产业集群升级	—	—	—	0.216	0.683
间接效应	资金获取	—	—	—	—	—
	创新人才获取	0.187	0.227	—	—	—
	知识学习	0.276	0.304	0.242	—	—
	产业集群升级	0.427	0.473	0.196	0.327	—
总效应	资金获取	—	—	—	—	—
	创新人才获取	0.510	0.589	0.504	—	—
	知识学习	0.620	0.683	0.242	0.512	—
	产业集群升级	0.427	0.473	0.196	0.543	0.683

注:表中所列均为标准化处理后的效应值。

直接效应指由外生变量到内生变量的直接影响;间接效应指外生变量到内生变量的影响中考虑经由中介变量的间接效果;总效应则为直接效应和间接效应之和。

通过效应分析验证,非常清晰地表明了网络结构、创新行为与产业集群升级内各维度的关联性。

4.4　本章小结

产业集群升级的本质是创新,在创新网络下的企业对网络环境的依赖越来越强。那么,企业在创新网络中的位置以及与其他企业的联系程度是如何影响企业

的创新活动的呢？创新网络下的企业之间的协同创新行为对于产业集群升级的影响如何？对于理论模型的假设如何验证？本章的实证研究回答并解释了这些问题。首先，在对相关理论梳理的基础上，确定各研究变量的设置和最终测量量表；其次，说明调查问卷的设计与实证分析应用的方法；再次，以锦州高新技术产业开发区和大连高新技术产业园区内的产业集群中的企业为调查对象，结合样本数据利用结构方程模型等方法对模型的拟合情况进行分析评价，发现网络结构的网络中心性和网络密度对资金的获取的正向影响关系不明显，未得到验证，而其他变量间的关系都得到验证。

第5章 实证研究结果的讨论与应用

本章将对第四章实证研究的结果进行讨论,分析通过验证的假设对我们的启示,对于没有通过验证的假设,分析没有通过的原因,并结合我国产业集群升级的实践,从企业和政府两个层面提出有针对性的政策建议。

5.1 实证研究结果的讨论

实证分析结果表明模型拟合较好,根据创新网络视角下产业集群升级机理的理论模型所提出的 11 条假设,有 3 条没有通过,其余 8 条均通过,修正后的网络结构、创新行为和产业集群升级的理论模型如图 5 - 1 所示。本节对通过的假设进行讨论。

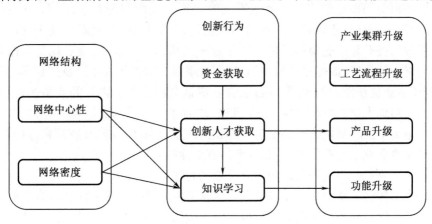

图 5 - 1　修正后的网络结构、创新行为和产业集群升级的理论模型

1. 关于网络结构与创新行为之间关系的讨论

假设 2 探讨的是网络中心性与创新人才获取的关系。假设的内容:网络中心性对创新人才获取有直接的正向影响。检验结果表明,标准化路径系数为 0.396,C. R. 为 3.225,$P = 0.001$,各项检验值均达到了要求,假设 2 成立,即网络中心性对创新人才获取的确具有直接的正向影响。

假设 3 探讨的是网络中心性与知识学习的关系。假设的内容:网络中心性对知识学习有直接的正向影响。检验结果表明,标准化路径系数为 0.374, C. R. 为 3.659, $P = 0.000$,各项检验值均达到了要求,假设 3 成立,即网络中心性对知识学习的确具有直接的正向影响。

假设 5 探讨的是网络密度与创新人才获取的关系。假设的内容:网络密度对创新人才获取有直接的正向影响。检验结果表明,标准化路径系数为 0.385, C. R. 为 3.546, $P = 0.000$,各项检验值均达到了要求,假设 5 成立,即网络密度对创新人才获取的确具有直接的正向影响。

假设 6 探讨的是网络密度与知识学习的关系。假设的内容:网络密度对知识学习有直接的正向影响。检验结果表明,标准化路径系数为 0.473, C. R. 为 4.117, $P = 0.000$,各项检验值均达到了要求,假设 6 成立,即网络密度对知识学习的确具有直接的正向影响。

通过上述结论可以看出:网络结构直接影响企业创新人才的获取和知识学习,网络中心性与网络密度对主体创新行为具有重要的作用。产业集群企业网络中心性和网络密度越高,表明该产业集群企业在创新网络中占据的位置越重要,而且同其他企业或组织之间的业务往来和互动频率越高,该企业获取人才和多元化知识等资源的机会和渠道越多。企业只有及时获得企业所需的人才,引入、开发新技术、新知识、新思想,才能对所获取的知识消化、开发和应用,从而有助于促进企业创新绩效的提升和产业集群升级。实证分析的结论充分证明:企业优化和改善在创新网络中的位置、加强互动与合作,能大大增强获取创新人才以及知识学习的机会,利于企业创新能力的提升。因此,企业应该与产业集群内外的竞争企业、供应商、用户、当地大学及科研机构、中介机构、政府建立广泛的交流与合作,尤其是要依托当地大学及科研机构的科研实力,同时,注意对网络、专利及新闻媒体的利用,这些都是企业获取行业新技术、新专利的有效途径。

2. 关于创新行为过程各影响因素关系的讨论

假设 7 探讨的是资金获取与创新人才获取的关系。假设的内容:资金获取对创新人才获取有直接的正向影响。检验结果表明,标准化路径系数为 0.476, C. R. 为 4.547, $P = 0.000$,各项检验值均达到了要求,假设 7 成立,即资金的获取对创新人才获取的确具有直接的正向影响。

假设 8 探讨的是创新人才的获取与知识学习的关系。假设的内容:创新人才获取对知识学习有直接的正向影响。检验结果表明,标准化路径系数为 0.527, C. R. 为 4.547, $P = 0.001$,各项检验值均达到了要求,假设 8 成立,即创新人才获取对知识学习的确具有直接的正向影响。

上述研究结果说明,资金的获取对于创新人才的获取有重要影响,对于企业而言,资金注入既是保证企业生存和良性发展的最根本条件,也是企业获取创新人才的关键因素,如果企业缺乏资金的支持,就难以吸引企业外优秀的人才加入,同时也难以留住企业内的人才。在当今经济全球化、信息化、知识化的时代,企业要实现技术的突破和跨越,必须拥有高素质技术人才,人才是企业长期生存发展的基础。因此,企业需要在结合自身情况的基础上,制定出对人才有吸引力的薪资、福利制度。同时,创新人才是企业知识积累更新以及研发创新活动开展的主力,对于企业内的人才,企业要提供优良的创新环境和文化、留住人才并使其充分发挥出推动企业创新、提升创新绩效的积极作用。

3. 关于创新行为对产业集群升级影响关系的讨论

假设 10 探讨的是创新人才获取与产业集群升级的关系。假设的内容:创新人才获取对产业集群升级有直接的正向影响。检验结果表明,标准化路径系数为 0.648,C. R. 为 5.874,$P = 0.000$,各项检验值均达到了要求,假设 10 成立,即创新人才获取对产业集群升级的确具有直接的正向影响。

假设 11 探讨的是知识学习与产业集群升级的关系。假设的内容:知识学习对产业集群升级有直接的正向影响。检验结果表明,标准化路径系数为 0.715,C. R. 为 7.038,$P = 0.000$,各项检验值达到了要求,假设 11 成立,即知识学习对产业集群升级的确具有直接的正向影响。

实证研究表明,企业良好的创新网络位置以及与其他企业的密集联系有利于企业人才获取和知识获取等行为,而主体创新行为直接作用于产业集群升级,因此加强主体创新行为是产业集群最终升级的关键。要提高主体创新行为需要分别从"软件"和"硬件"两个方面入手,"硬件"方面就是企业要加强知识技术获取的硬件设施建设,增强认识和评价外部知识技术的能力;"软件"方面就是企业要加强对员工在知识技术方面的教育与培训,营造创新文化氛围,激励创新行为。企业需要建立内部学习型组织,完善员工和企业知识结构,不仅要获取知识技术而且还要在企业内部消化和整合,来提高企业创新能力,实现产业集群升级。

4. 综合讨论

上述 8 条通过验证的假设揭示了网络结构、创新行为及产业集群升级之间的内在联系,从三者之间的内在作用关系来看,网络结构对主体创新行为具有正向的促进作用,主体创新行为直接作用于产业集群升级,而且主体创新行为对网络结构与产业集群升级之间的关系具有调节作用。

本书实证研究结果表明,创新网络通过作用于产业集群主体创新行为而使产业集群主体创新能力和绩效获得提升,从而推进产业集群整体升级。可见,一个地方的产业集群升级是在创新网络下多主体互动影响、共同演进的过程,这一过程不仅取决于企业行为自身,也会与产业集群中的其他主体如政府、大学、科研机构、金融机构的行为和策略密切相关。既然产业集群升级的本质是创新能力和创新绩效的提升,那么由众多企业聚集而形成的产业集群、科研人员和科研资金的投入以及知识的获取、扩散等行为都会直接影响到产业集群创新绩效的提升和产业集群升级。然而,在实践中地方政府在制定有关提升产业集群创新、发展与升级的措施时,却很少考虑创新网络各传导环节对产业集群升级的作用机制,导致措施的实际效率和效果大打折扣。因此,要提高产业集群整体创新能力,必须遵从产业集群升级的整个传导过程中各环节的作用机制,从创新网络结构入手,促进主体创新行为的有效实施,借助网络结构的传导作用,通过高效的主体创新行为,使产业集群整体创新绩效得到提升,产业集群升级得以实现。

5.2　修正模型的解释

本命题根据产业集群升级机理共提出 11 条假设,其中有 3 条假设没有通过,下面对没有通过检验的假设进行说明解释。

假设 1 探讨的是网络中心性与资金获取的关系。假设的内容:网络中心性对资金的获取有直接的正向影响。检验结果表明,标准化路径系数为 0.014,C. R. 为 0.109,$P = 0.616$,由于 C. R. < 1.96,$P > 0.05$,检验值没有达到要求,假设 1 没有通过检验,说明假设 1 不成立,即网络中心性对资金获取没有直接正向影响。

假设 4 探讨的是网络密度与资金获取的关系。假设的内容:网络密度对资金的获取有直接的正向影响。检验结果表明,标准化路径系数为 0.039,C. R. 为 0.326,$P = 0.713$,由于 C. R. < 1.96,$P > 0.05$,检验值没有达到要求,假设 4 没有通过检验,说明假设 4 不成立,即网络密度对资金获取不存在直接的正向影响。

假设 9 探讨的是资金获取与产业集群升级的关系。假设的内容:资金获取对产业集群升级有直接的正向影响。检验结果表明,标准化路径系数为 0.035,C. R. 为 0.709,$P = 0.461$,由于 C. R. < 1.96,$P > 0.05$,检验值没有达到要求,假设 9 没有通过检验,说明假设 9 不成立,即资金获取对产业集群升级不存在直接的正向影响。

因为涉及资金获取的三个假设均未通过验证,本书有必要结合实际调研来分析假设未能通过的原因。本书在调研的内容中有关企业资金来源、融资渠道以及融资数量和缺口等问题的调查,调查对象大部分是中小型企业。从调查的结果看,中小型企业创业者个人资金占总资金一半以上的情况比较普遍,企业资金的主要来源为创业者个人资金,企业的融资渠道主要以企业家自有资金和银行贷款为主,其他融资渠道所占比例较小,而且普遍存在资金缺口。可见,企业无论在渠道还是在数量上,通过创新网络获得的资金都是非常有限的,说明本书所考察的产业集群企业所处的产业集群并没有具备成熟的、多样化的融资渠道和社会化的资金来源的特性。创新网络在企业资金缺口较大的情况下没有发挥作用的原因主要有两个方面：一方面，本书所考察的产业集群企业许多是由同业竞争关系的企业构成，这种较单一的网络构成即使节点很密集、联系很频繁，但企业间激烈的竞争关系使企业之间的融资、拆借以及支付转移等难以实现；另一方面，本书考察的企业多为中小企业，即使企业间不是竞争关系，但企业本身资金紧张，导致企业无能力借钱给其他企业。正是由于产业集群企业融资渠道单一、企业构成不协调、不匹配，企业从创新网络获得资金数量有限，造成创新网络密度和强度与企业资金获取的关联不显著。

此外，涉及创新资金获取对产业集群升级的直接正向影响的假设没有通过，该假设未通过的主要原因是企业融资渠道单一，所考察的企业自有资金占资金来源的比例较大，导致了企业资金的获取对产业集群升级影响不显著的情况；还有一种情况就是作者考察的企业许多是软件企业，这些企业在创立之初，或在起步发展阶段，在所考察度量的企业创新绩效指标中，对资金的需求程度以及资金对企业创新绩效、产业集群升级的贡献，远没有知识和人才那么强烈和显著，因此也很难观测到。这也许是作者所选调查案例的特殊性所致。如果在一般意义上的高新技术产业集群中，一个企业的创新绩效应该是和它获取外部资金的难易程度呈正相关关系的。

尽管资金获取对产业集群升级具有直接的正向影响的假设没有通过，但是从修正模型的效应分解的结果中可以看出，资金获取与产业集群升级之间存在间接的正向效应，资金获取对产业集群升级还是有正向的积极的影响的，只不过是需要通过创新人才的获取和知识学习才能间接地实现对产业集群升级的正向影响作用。

在调研访谈中作者发现，尽管大部分企业比较注重人才的建设，但高层次人才的缺口仍很大。由于高层次人才通常会流向北京、上海、广州、深圳等一线大城市，对于二、三线的城市或欠发达地区的城市的企业来说，如何获取人才、留住人才仍是目前面临的主要问题。

5.3　实证结果的应用

根据实证分析的结果可以看出，创新网络各构成要素对产业集群升级的影响和作用是各不相同的，这一点对于指导产业集群升级的实践具有十分重要的意义。尽管政府在催生和维护创新网络中发挥着重要作用，但是创新网络不是通过政府构建的，而是产业集群企业长期自组织行为的累积。因此，无论从政府还是产业集群企业的角度，培育和构建创新网络进而提升产业集群整体创新绩效实现升级是亟待解决的问题。本研究结合我国产业集群发展与产业集群升级存在的突出问题和实证分析的结果，分别从企业和政府层面提出有针对性的政策建议，期望能为有关部门制定产业集群升级政策和企业的升级实践提供指导。

1. 企业层面

(1)加强创新合作,提升产业集群企业的创新能力

产业集群企业在产业集群中优化互动促进知识的溢出和共享,是提升企业创新能力的有效途径。一般而言,无论处于哪种产业集群升级类型下的产业集群企业与其他企业或机构的沟通合作都是十分必要的。处于工艺流程升级或产品升级的产业集群企业通常表现为对制造知识的迫切需求,大学与科研院所、知识技术服务类等机构为企业提供相应的知识技术服务是十分必要的,这样相互合作,企业才能够较迅速地识别、捕捉市场与技术机会,利用新工艺、新技术、新材料、新设备将新产品推向市场。处于功能升级的产业集群企业通常表现为对高标准的市场知识或研发知识以及高端的技术开发和研发设计的迫切需求,品牌建设、掌握先进的技术开发和研发设计能力是企业实现功能升级的核心任务。因而,企业与技术先进的企业以及与大学、科研院所、金融部门、知识技术服务类等机构的沟通合作也是紧迫需求。因此,作为创新网络内的核心主体的企业,要通过共担开发风险、资源互补和完善产业链等方式增强企业之间以及与相关机构之间的合作交流,实现产业集群升级。

(2)以非正式沟通促进正式的交易关系

创新网络的主体行为的有效实现,既需要正式沟通这种方式,也需要非正式的沟通方式,而且非正式的沟通方式对于隐性知识的获取、传播尤为重要。Senker认为隐性知识的溢出主要通过一些非正式的或个人间的跨部门联系和互动来实现。非正式交往所具有的社会性、情感性和随意性这些特点使其成为隐性知识传播的主要手段和方式。非正式沟通宽松自由的环境、丰富的表达方式有利于传递巨大的信息量,使信息内容和知识扩散的范围较广,这种沟通形式通过加速知识编码化水平或者加速隐性知识在企业与合作者之间的传递,最终达到提高知识传播效率、提高创新水平的目的。非正式沟通是企业获取各种知识信息资源、增强创新合作、促进企业的成长的重要方式和手段。

(3)构建企业创新体系与创新文化

作为企业的领导者,要带领员工共同学习,真正认识到知识流动、创新扩散是保持企业持久竞争优势的高层次技术进步之路。通过打造企业集体学习与竞合的创新文化氛围,强化创新意识,才能促进知识和创新成果的扩散和再创新,并能迅速将新产品推向市场。为提升企业创新资源的吸收能力和知识流动效率,产业集群内的企业需要增加研发投入、优化产品结构、找准自身在价值链上的定位,不断提升企业的创新能力和对市场的适应能力。

2. 政府机构层面

实证结果已经明晰了创新网络对提升产业集群竞争力和推进产业集群升级的

影响作用,因此,政府基本的战略就是培育和完善创新网络,具体需要做以下工作。

(1)搭建知识交流平台、完善创新研发与协作的网络

产业集群企业作为创新网络中的核心主体,它的创新能力的强弱直接影响着整个产业集群的创新能力和创新绩效,企业是网络创新能力的决定力量。由于创新网络的优势是通过知识溢出效应和创新上的协同效应来体现,为保证企业能够充分吸收和利用产业集群内的知识信息流,政府需要创造条件增大产业集群内部的信息和知识流量。政府要鼓励来自各种不同龙头体系的企业之间建立联系与合作,增强网络密度,建立和完善技术研究开发与协作网络,搭建技术创新、知识交流的平台,为群内的企业提供技术和信息服务,提高技术引进和技术开发的效益,形成有益于产业集群升级的集体学习环境。此外,政府还要特别关注产业集群内众多的中小企业的创新能力的提升问题,形成大中小企业紧密配合、互动发展的创新网络,同时与外部供应商、用户及相关企业共建更大范围的创新网络。

(2)鼓励、促进产学研结合

拥有强大的科研实力的大学和科研院所是企业创新的重要的知识源头,政府要培育完善的创新网络,必须引导产业集群企业与大学和科研院所进行紧密合作,营造“龙头领跑、小企业跟进”的分层次合作的产业集群升级环境。要充分发挥网络中心性和网络密度较高的高位势企业的优势,鼓励高位势企业之间以及高位势企业与大学、科研机构等建立长期、联盟式的合作关系。由于知识基础薄弱是我国产业集群普遍存在的问题,而且科研院所仅凭借政府的投入难以满足科研需要。因此,无论是自身拥有研发能力的大中型企业还是自身缺乏研发能力的中小企业,均需要与大学和科研院所开展创新合作,这种紧密的合作极大地促进了知识创造和科技创新,使合作双方实现“双赢”。政府要积极为产业集群内企业和产业集群外部高校、研究机构等进行产学研牵线搭桥,将产业集群外知识资源引导给产业集群内的企业,充分发挥其对创新的辐射带动作用。

(3)组建和完善科技中介服务体系

科技中介服务机构在创新网络中为创新供方和受方搭建了沟通的桥梁,它是沟通知识流动的一个重要环节,它们承担着企业的创新活动的宣传,企业之间、企业与其他机构之间以及企业与外部知识源之间的联系,通过强化产学研互动、开展培训教育争取更大授权、行使行业监管职能等方式,不同程度地促进了科技知识的转移、转化、吸收、应用和创新。政府为促进创新网络的发展,应引入或成立一些科技服务等中介机构,通过完善市场、技术和人才信息的服务以及建立具有行业特色的技术服务机构,切实帮助低位势企业,促进其工艺流程升级、产品升级,并为市场功能升级或技术功能升级做好准备。

（4）充分发挥政府职能，解决产业集群升级存在的突出问题

首先，针对产业集群企业尤其是中小企业资金短缺和融资困难的问题，政府要完善金融服务体系来缓解企业资金短缺问题。在解决这一问题时要注意以下几点：第一，要加大对产业集群内中小企业技术创新与合作的资金注入，为具有创新实力的龙头企业积极融资以及提供投资咨询和管理等措施。第二，由于产业集群内中小企业受限于自身规模和条件，不仅承担着比大型企业更多的风险，而且资金"瓶颈"的压力更大，因此，政府要建立风险投资机制，促进风险投资介入，设立各种风险投资机构，鼓励并促进中小企业技术创新和科技成果商业化。第三，由于直接融资渠道在改善企业资产负载结构、有效配置社会资源方面比间接融资等有优势，因此，政府可以通过允许具有良好发展前景、产品科技含量高的中小企业发行融资债券或进入证券市场筹资等方式拓宽企业直接融资渠道。

其次，针对企业获取创新人才难的问题，各级政府必须在提高认识的基础上，建立健全人才培养机制，充分发挥市场配置人才资源的基础性作用。政府要督促并指导产业集群企业落实和贯彻《国家中长期人才发展规划纲要》以及关于人才工作中的一系列部署，坚持服务发展、人才优先、以用为本、创新机制、高端引领、整体开发的指导方针，不仅积极开展国际一流人才的引进工作，同时也做好自有人才的培养、开发工作。

最后，针对产业集群内企业创新动力不足、恶性竞争泛滥的问题，政府可以采取以下措施：首先，政府要规范市场竞争秩序，加强质量监督和对知识产权、技术创新产权的保护，防止产业集群内部产品仿冒和压价竞争，维护当地市场环境的健康发展，制定保障市场体系有效运转的竞争政策，为技术创新扩散提供良好空间。其次，为激励企业的创新活动，政府要采取激励性补偿制度与政策，利用财税政策或价格杠杆，对采取创新的企业给予优惠，减少企业风险，缩短决策过程，提高技术创新扩散的速度。再次，政府还要积极引导当地金融机构和企业的合作，为企业寻找良好的融资渠道，增强企业采用技术创新的实力。

5.4　本章小结

本章在上一章实证分析的基础上，对实证检验的结果进行讨论，根据理论模型提出的 11 项假设，有 8 条通过了检验，有 3 条未通过检验。对于通过检验的假设，分析其对我国产业集群升级实践的意义和启示，对于没有通过的假设结合产业集群升级的实际，深入剖析其中的原因，并针对我国目前产业集群升级存在的主要问题，结合实证分析，从政府和企业两个层面提出了对策、建议。

第6章 结论与展望

通过前面各章的分析和阐述,本书对创新网络视角下网络结构和创新行为对产业集群升级的作用机理进行了全面而系统的定量、定性分析研究。本章将根据前面的研究成果,总结本书的主要结论,说明研究的不足,并展望未来可进一步研究的问题。

6.1 本书主要研究结论

本书根据国内外产业集群理论、产业集群升级理论、创新网络理论等相关理论以及产业集群升级实践的最新动态,以创新网络为视角对产业集群升级进行研究。

本书融合了产业组织传统的"SCP"范式和网络构成三要素,构建了"网络结构—创新行为—产业集群升级"的分析框架和机理模型,并以此为研究路径深入剖析并揭示了网络结构、创新行为对产业集群升级影响的内在机理。本书遵循"理论分析—实证研究—理论总结"的研究思路,通过实地调研、模型构建、统计分析和结构方程模型分析,运用 SPSS 和 AMOS 软件对理论假设依次展开分析论证,明晰了网络结构和创新行为对产业集群升级的作用机理,并在实证研究的基础上,重新确定了各个变量之间的关联性。通过以上研究工作,本书主要结论如下。

6.1.1 内生动力是产业集群升级的根本动力

尽管全球价值链理论是产业集群升级研究的重要理论,但该理论强调产业集群升级求诸产业集群外部力量,忽略了产业集群的内在联系以及产业集群本身的创新功能。本书以创新网络为视角,注重产业集群升级内在因素的影响作用,强调产业集群网络化创新对产业集群升级的影响。产业集群嵌入全球价值链虽是获取外部知识的重要途径和创新开放的表现,但利益和升级不会自动发生,只有产业集群内网络创新机制发挥出功效,提升创新能力才是产业集群持续稳定发展、实现升级的内在基础,创新能力的提升是产业集群升级的内在动力和根本。可见,产业集群升级的外部动力只有通过影响和改变产业集群内部状态,才能更好地激发内部动力实现产业集群升级,产业集群升级的根本动力是来源于产业集群的内生动力。通过保持和提升产业集群企业的创新能力和创新绩效,优化创新网络,发挥出这些产业集群升级的内在动力的作用,才能实现产业集群的升级。

6.1.2 产业集群升级的本质是创新,升级的基础是产业集群知识

基于对现有产业集群升级研究成果的梳理和总结,本书界定了产业集群升级的内涵和本质,对创新网络的各构成要素、层次关系、演化过程与创新机制进行了深入分析,得出无论是产业集群的工艺流程升级、产品升级还是功能升级,实质上都是产业集群知识的创新,产业集群升级的过程也就是产业集群知识的积累、获取、吸收、转化与创新的过程。网络结构、创新行为共同作用和变化的结果就是产业集群升级,其中网络结构的调整、更替、巩固会引发知识技术结构和资源的变化,进而影响产业集群企业的创新行为。以产业集群知识为基础的创新正是产业集群升级的本质和内在动力。

6.1.3 "网络结构—创新行为—产业集群升级"是产业集群升级的关键环节

本书通过对创新网络各构成要素以及产业集群升级内涵维度的分析,确立了"网络结构—创新行为—产业集群升级"的理论分析框架,构建了以创新行为为中间变量的产业集群升级的关系模型,并以此为分析路径,分别深入剖析了网络结构对创新行为的影响以及创新行为对产业集群升级的影响,在理论上研究并实证验证了网络结构需要通过创新行为对产业集群升级产生影响,创新行为直接作用于产业集群升级。产业集群升级的实现需要网络结构、创新行为和以创新资金、创新人才为主的资源的三者和谐发展、共同作用,网络结构通过影响产业集群行为主体的创新行为进而影响产业集群的升级。网络中心性和网络密度对产业集群企业的创新人才的获取、知识的吸收和创新起显著的推动作用。同时,创新行为中的知识学习所包含的知识获取能力、知识扩散能力和知识吸收与创新能力都对产业集群竞争优势的提高和产业集群升级发挥着重要作用。可见,要提高产业集群整体创新能力、实现升级,必须遵从产业集群升级传导过程中各环节的作用机制,从创新网络结构入手,促进主体创新行为的有效实施,借助网络结构的传导作用,通过高效的主体创新行为使产业集群整体创新绩效得到提升,产业集群升级得以实现。

6.1.4 创新网络在实现产业集群升级过程中具有重要作用

产业集群升级是在创新网络下多主体互动影响、共同演进的过程,网络资源平台和要素可以促进知识技术的流动与扩散,提升产业集群企业的创新绩效,实现升级。产业集群各主体在网络内的联结强度和持久度直接影响着网络成员间的互动,网络密度和强度促进了主体间知识等资源的扩散和培养,建立和发展了企业合作伙伴关系,优化配置并整合关系网络,从而提升企业获取创新资源的能力。同

时,产业集群企业在相对于其他网络成员所处的关系和地位上所表现出的网络位置特征,也反映了企业获取知识技术信息的能力。产业集群创新网络架构,为产业集群成员的相互联结、互补性资源交换以及知识技术的顺畅流动扩散搭建了平台,使产业集群及企业创新绩效得以提升,产业集群升级得以实现。在产业集群企业间的知识技术互动中,本地网络和产业集群外部资源也直接影响产业集群企业的升级。充分利用资金、人才以及产业集群外知识源才能避免知识技术锁定效应,提升产业集群企业乃至产业集群整体的创新能力,推进产业集群的升级。

6.2　研究不足与展望

　　基于创新网络的产业集群升级是一个广泛存在但尚未被重视开发研究的问题,由于理论界至今尚未形成完整和统一的产业集群升级理论体系,从创新网络角度对产业集群升级问题的研究成果也很少,特别是关于产业集群升级的作用机理的分析尤其欠缺,因此,本研究面临着较大的挑战和困难。尽管本研究获得了较有现实意义和理论价值的结论,基本达到了预期的研究目标,但由于研究问题的复杂性和时间限制,本研究还存在许多不足,需要在今后的研究工作中进一步地深入挖掘和完善。

　　由于从产业集群企业内在影响因素出发的产业集群升级研究刚刚起步,虽然取得了一定成果,但尚未形成系统理论分析框架。本书在多学科交叉理论基础上构建的“网络结构—创新行为—产业集群升级”这一升级模型与理论分析框架,仅是初步的、探索性的研究。完善的、合理的产业集群升级理论的构建,还需要大量实证研究和规范研究的不断推进。

　　本研究基于数据的可获得性和代表性的考虑,在统计取样时主要选择了具有较强代表性的高技术产业集群内的企业,但对行业细分类别对统计结果的影响没有考虑进来,也没有进一步对其他产业进行比较研究。尽管研究结论在相当程度上揭示了创新网络对产业集群升级的作用机理,但忽略了行业内不同类别的特点差异性对网络结构、创新行为和产业集群升级的影响,这种处理有些粗放。因此,今后在该方面有待进一步完善。

　　本书虽然在样本抽样、问卷设计以及指标体系度量方面做了大量的工作,但数据的可获得性仍然是制约研究的主要方面,而且在反映企业间关系数据方面,准确度量网络结构及其效度的问题仍需进一步完善。

附　　录

产业集群升级研究调查问卷

问卷编号：

尊敬的先生/女士：

　　您好！首先对您在百忙中抽时间接受本问卷调查表示诚挚的谢意！

　　本问卷旨在了解产业集群升级的基本情况。本研究的结果有助于从创新网络的视角揭示产业集群升级的机理，为产业集群企业利用创新网络资源、提高创新能力与绩效、实现企业以及整体产业集群升级提供可操作性的建议。答案没有对错之分，烦请您填写此问卷调查表，在填写过程中，如对问卷存在任何疑义，请与我们进行联系；如对题项的内容存在分歧，请借助贵企业其他人员协助完成。

　　本问卷采用不记名形式填写，调查结果仅用于学术研究，而不会用于任何商业用途，我们保证对您填写的问卷信息进行保密，我们保证仅将所得信息用于统计分析，绝不针对任何具体企业做个案分析。

　　我们非常希望得到您的真诚合作，您的支持是本研究成功的关键！并希望研究成果能为贵企业的发展提供参考和帮助。本问卷采用五级打分法，分数 1 到 5 依次表示：完全不符合、比较不符合、一般、比较符合和完全符合，分数 3 代表中性标准。请您在适当的分数上打"√"，或者做其他标记。问卷完成后，可通过两种方式返还：(1)E-mail:yujiaqun588@126.com；(2)将结果返还给发放人。我们对您的真诚合作致以衷心的感谢！

第一部分　企业基本信息

1.企业的名称(　　　　　)。

2.企业联系电话(或 E-mail)(　　　　)。

3.贵企业正式成立时间(　　　)年。

A. <5　　　　　　　　　　　B.5~8

C.9~15　　　　　　　　　　D. >16

4.贵企业现有员工人数为(　　　)人。

　　A. <50　　　　　　　　　　　B.50～100

　　C.100～300　　　　　　　　　D.300～500

　　E.500 以上

5.贵企业近三年平均销售收入(　　　)。

　　A.小于 100 万元　　　　　　　B.100 万～500 万元

　　C.500 万～1 000 万元　　　　 D.1 000 万～5 000 万元

　　E.5 000 万元以上

6.贵企业所属行业为(　　　)。

　　A.汽车配件　　　　　　　　　B.生物医药

　　C.航空航天材料　　　　　　　D.光伏

　　E.软件　　　　　　　　　　　F.数字化装备

　　G.精细化工

7.企业的所有制性质为(　　　)。

　　A.国有制　　　　　　　　　　B.公司制

　　C.合伙制　　　　　　　　　　D.个体独资

　　E.其他

第二部分　问卷内容

一、网络结构的测度

题号	网络中心性	不符合→符合				
		1	2	3	4	5
8	贵企业在当地知名度高、影响力较大					
9	本地其他企业希望且容易与贵企业建立联系					
10	贵企业经常充当其他企业认识的介绍人					
	网络密度					
	(网络密度频次说明:1 = 每年一两次;2 = 每月不到一次;3 = 每月一两次;4 = 每周一两次;5 = 每周两次以上)					
11	贵企业与本地供应商发生联系的频繁程度					
12	贵企业与本地客户发生联系的频繁程度					
13	贵企业与大学、科研机构联系的频繁程度					
14	贵企业与政府部门、中介服务机构联系的频繁程度					

二、创新行为的测度

题号	资金获取	不符合→符合				
		1	2	3	4	5
15	贵企业能较容易获得所需数量的资金					
16	贵企业能较容易获得所需种类的资金					
17	贵企业能以较低成本获得资金					
	创新人才获取					
18	贵企业能较容易雇佣到所需不同类型的人才					
19	贵企业能较容易雇佣到所需数量的人才					
20	贵企业能以较低成本雇佣到所需人才					
21	贵企业创新所需人才大多来自园区内部					
	知识学习					
22	贵企业容易从产业集群内获取各种知识技术技能					
23	贵企业容易从产业集群内获取技术或专利					
24	贵企业能很快消化和应用获取的知识技术					
25	贵企业能很快从产业集群外获取技能、技术或专利					

三、产业集群升级的测度

题号	2011 年贵企业与国内同行业主要竞争对手相比	不符合→符合				
		1	2	3	4	5
26	年度外观设计专利数量情况					
27	年度技改项目数量情况					
28	年度实用新型或发明专利情况					
29	新产品开发数量情况					
30	年度产品技术档次情况					
31	年度产品占中高端市场比例情况					

参 考 文 献

[1] ALBERT R, ALBERT I, NAKARADO G L. Structural vulnerability of the North American power grid[J]. Physical Review E,2004,69(2):125 – 133.

[2] ASHEIM B T, ISAKSEN A. Regional innovation systems: the integration of local sticky and global ubiquitous knowledge[J]. Social Science Electronic Publishing, 2002, 27(1):77 – 86.

[3] BALDWIN R E, MARTIN P. Agglomeration and regional growth[J]. Handbook of Regional and Urban Economics,2003(6):355 – 360.

[4] BRULHART M, TRIONFETTI F. Public expenditure, international specialization and agglomeration[J]. European Economic Review,2004,48(4):851 – 881.

[5] AMABLE B. Institutional complementarity and diversity of social systems of innovation and production[J]. Review of International Political Economy,2000(7):645 – 687.

[6] BIAN Y. Bringing strong ties back in:indirect ties,network bridges,and job searches in China[J]. American Sociological Review,1997,6(2):366 – 385.

[7] BLAZEVIC V, LIEVENS A. Learning during the new financial service innovation process: antecedents and performance effects[J]. Journal of Business Research, 2004,57(4):374 – 391.

[8] BOARI C, LIPPARINI A. Networks within industrial districts: organising knowledge creation and transfer by means of moderate hierarchies [J]. Journal of Management and Governance,1999,3(4):339 – 360.

[9] BOCCALETTIA S, LATORAB V, MORENOD Y, et al. Complex networks: structure and dynamics[J]. Physics Reports, 2006, 424(4 – 5):175 – 308.

[10] BRETSCHGER L. Knowledge diffusion and the development of regions knowledge diffusion and the development of regions[J]. The Annals of Regional Science, 1999,33(3):251 – 268.

[11] COOKE P, MORGAN K J. The associational economy: firms, regions and inno-

vation[J]. Social Science Electronic Publishing, 1998, 21(2):51 –62.

[12] SCHOLTEN D. The role of coherence in the coevolution between institutions and technologies[J]. Working Paper,2009(12):209 –219.

[13] DEVEREUX M,GRIFFITH R,SIMPSON H. The geographic distribution of production activity in UK[J]. Regional Science and Urban Economics,2004,34 (5):533 –564.

[14] DIJK M P V. Government policies with respect to an information technology cluster in Bangalore, India[J]. The European Journal of Development Research, 2003, 15(2):93 –108.

[15] DEBRESSON C, AMESSE F. Networks of innovators: a review and introduction to the issue[J]. Research Policy, 1991, 20(5):363 –379.

[16] FELSENSTEIN D. Do high technology agglomerations encourage urban sprawl? [J]. The Annals of Regional Science,2002,36(4):663 –682.

[17] FISCHER M M, VARGA A. Spatial knowledge spillovers and university research: evidence from Austria[J]. The Annals of Regional Science, 2003, 37 (2):303 –322.

[18] FOSS N J. Higher – order industrial capabilities and competitive advantage[J]. Journal of Industry Studies,1996(3):1 –20.

[19] GULATI R. Does familiarity breed Trust? The implications of repeated ties for contractual choice in alliances [J]. The Academy of Management Journal, 1995, 38(1):85 –112.

[20] PANNE G V D. Agglomeration externalities: marshall versus jacobs[J]. Journal of Evolutionary Economics, 2004, 14(5):593 –604.

[21] GUANGCAI S, Wenli W. The qualitative analysis of symbiosis model of two populations[J]. Mathematical theory and applications,2003,23(3):64 –69.

[22] GEREFFI G. International trade and industrial upgrading in the apparel commodity chain[J]. Journal of International Economics,1999,48 (1):37 –70.

[23] NOOTEBOOM B,GILSING V. Density and strength of ties in innovation networks: a competence and governance view[J]. European Management Review, 2005(2):179 –197.

[24] GEREFFI G. Industrial upgrading in the apparel commodity chain: what can mexico iearn from East Asia? [R]. Paper Presented at International Conference

on Business Transformations and Social Change in East Asia, 1999
(48):37 - 70.

[25] HAKANSSON H, SNEHOTA I. Developing relationships in business networks
[M]. London: Rout - ledge, 1995.

[26] HANSON G. North American economic integration and industry location[J].
Oxford Review of Economic Policy, 1998, 14(2):30 - 44.

[27] HUMPHREY J, SCHMITZ H. How does insertion in global value chains affect up-
grading in industrial clusters? [J]. Regional Studies, 2002, 36(9):1 017 - 1 027.

[28] KRAATZ M S. Learning by association interorganizational networks and adapta-
tion to environmental change[J]. Academy of Management Journal, 1998, 41
(6):621 - 643.

[29] KUMAR N, STEENKAMP S J B E M. The effects of supplier fairness on vul-
nerable resellers[J]. Journal of Marketing Research, 1995, 32(1):54 - 65.

[30] KOGUT B, ZANDER U. Knowledge of the firm, combinative capabilities, and the
replication of technology[J]. Organization Science, 1992, 3(3):383 - 397.

[31] KRAATZ M S. Learning by association? interorganizational networks and adap-
tation to environmental change[J]. Academy of Management Journal, 1998, 41
(6):621 - 643.

[32] KAPLINSKY R. Spreading the gains from globalization: what can be learned from
value - chain analysis? [J]. Problems of Economic Transition, 2004, 47(2):74 -
115.

[33] STEFAN K. Network analysis of production clusters: the potsdam/babelsberg film
industry as an example[J]. European Planning Studies, 2002, 10(1):27 - 54.

[34] KRUGMAN P. Competitiveness: A dangerous obsession[J]. Foreign Affairs,
1994, 73(2):28 - 44.

[35] KOGUT B. Designing global strategies: comparative and competitive value -
added chains[J]. Sloan Management Review, 1985, 26(4):15 - 28.

[36] RIGDON E E. Advanced structural equation modeling: issues and techniques
[J]. Applied Psychological Measurement, 1998, 22(1):85 - 87.

[37] MCDONALD R P, HO M H R. Principles and practice in reporting structural e-
quation analyses[J]. Psychological Methods, 2002, 7(1):64 - 82.

[38] MEYER J W, ROWAN B. Institutionalized organizations: formal structure as

myth and ceremony [J]. American Journal of Sociology, 1977, 83（2）: 340 – 363.

[39] KRISTIAN K, HALINEN A. Business relationships and networks: managerial challenge of network era[J]. Industrial Marketing Management, 1999, 28(5): 413 – 427.

[40] OBSTFELD D. Knowledge creation, social networks and innovation: an integrative study[C]. Briarcliff Manor: Academy of Management Proceedings, 2005.

[41] OBSTFELD D. Knowledge creation, social networks and innovation: an integrative study[C]. Briarcliff Manor: Academy of Management Proceedings, 2008.

[42] OLIVER C. Sustainable competitive advantage: combining institutional and resource based views[J]. Strategic Management Journal, 1997, 18(9):697 –713.

[43] OHMAE K. The rise of the region state[J]. Foreign Affairs, 1993, 72(2):78 – 87.

[44] POON S C. Beyond the global production networks: a case of further upgrading of Taiwan's information technology industry[J]. Technology and Globalization, 2014, 1(1):130 – 145.

[45] PADMORE T, GIBSON H, BELL M, et al. Modelling systems of innovation: II. A framework for industrial cluster analysis in regions[J]. Research Policy, 1998, 26(6):625 – 641.

[46] ROSENFELD S A. Bringing business clusters into the mainstream of economic development[J]. European Planning Studies, 1997, 5(1):3 – 23.

[47] SALMAN N, SAIVE A L. Indirect networks: an intangible resource for biotechnology innovation[J]. R & D Management, 2010, 35(2):203 – 215.

[48] COLANDER, DAVID C. The economic theory of social institutions[J]. Journal of Economic Issues, 1982, 16(1):333 – 335.

[49] SINGH J. Collaborative networks as determinants of knowledge diffusion patterns [J]. Management Science, 2005, 51(5):756 – 770.

[50] DWYER E S R. An examination of organizational factors influencing new product success in internal and alliance – based processes[J]. Journal of Marketing, 2000, 64(1):31 – 49.

[51] SPENDER J C, GRANT R M. Knowledge and the firm: overview[J]. Strategic Management Journal, 1996, 17(2):5 – 9.

[52] SCHMITZ H, KNORRINGA P. Learning from global buyers[J]. Journal of De-

velopment Studies,2012,37(2):177 - 205.

[53] TEECE D J. Capturing value from knowledge assets[J]. California Management Review, 1998,40(3):55 - 79.

[54] GHOSHAL T S. Social capital and value creation: the role of intrafirm networks [J]. The Academy of Management Journal, 1998, 41(4):464 - 476.

[55] TSAI W. Knowledge transfer in organizational networks: effects of network position and absorptive capacity on business unit innovation and performance[J]. Academy of Management Journal,2001,44(5):996 - 1 004.

[56] TEECE D J, RUMELT R, DOSI G, et al. Understanding corporate coherence: theory and evidence [J]. Journal of Economic Behavior and Organization, 1994, 23(1):1 - 30.

[57] RITTER T, HANS G G. Network competence: its impact on innovation success and its antecedents [J]. Journal of Business Research, 2003, 56 (9): 745 - 755.

[58] TEWARI M. Successful adjustment in indian industry: the case of ludhiana's woolen knitwear cluster[J]. World Development, 1999, 27(9):1651 - 1671.

[59] UZZI B. Social structure and competition in interfirm networks: the paradox of embeddedness[J]. Administrative Science Quarterly, 1997, 42(1):35 - 67.

[60] UZZI B. The sources and consequences of embeddedness for the economic performance of organizations: the network effect[J]. American Sociological Review, 1996, 61(4):674 - 698.

[61] WALKER G,KOGUT B,SHAN W. Social capital,structural holes and the formation of an industry network[J]. Organization Science,2015,8(2):109 - 125.

[62] CAMERER W C. Reputation and corporate strategy: a review of recent theory and applications[J]. Strategic Management Journal, 1988, 9(5):443 - 454.

[63] 安虎森. 空间接近与不确定性的降低——经济活动聚集与分散的一种解释 (1)[J]. 南开经济研究,2001(3):51 - 56.

[64] 卞显红. 创新网络、集群品牌视角的旅游产业集群升级研究——以杭州国际旅游综合体为例[J]. 地域研究与发展,2012(3):22 - 26.

[65] 傅咛,魏立萍. 产业集群创新能力分析——以厦门海沧石化产业集群为例 [J]. 亚太经济,2009(3):91 - 94.

[66] 陈继祥,徐超,史占中. 产业集群与复杂性[M]. 上海:上海财经大学出版

社,2005.

[67] 陈雪梅.中小企业集群的理论与实践[M].北京:经济科学出版社,2003.

[68] 陈佳贵,王钦.中国产业集群可持续发展与公共政策选择[J].中国工业经济,2005(9):5-33.

[69] 陈守明,张志鹏.知识密集型服务业集群内企业间知识转移影响因素——环同济建筑设计产业带的实证研究[J].财贸研究,2009(5):116-125.

[70] 陈明森,陈爱贞,张文刚.升级预期、决策偏好与产业垂直升级——基于我国制造业上市公司实证分析[J].中国工业经济,2012(2):26-36.

[71] 陈学光.网络能力、创新网络及创新绩效关系研究——以浙江高新技术企业为例[D].杭州:浙江大学,2007.

[72] 柴中达.产业集群:提升天津滨海新区竞争力的战略选择[J].南开管理评论,2004,7(3):110-112.

[73] 仇保兴.小企业集群研究[M].上海:复旦大学出版社,1999.

[74] 戴卫明,陈晓红,肖光华.产业集群的起源:基于区域效应和聚集效应的博弈分析[J].财经理论与实践,2005,26(1):89-93.

[75] 丹尼斯·卡尔顿,杰弗里·佩罗夫.现代产业组织(上、下册)[M].黄亚钧、谢联胜,林利军,译.上海:上海三联书店,上海人民出版社,1998.

[76] 丁志卿,吴彦艳.我国汽车产业升级的路径选择与对策建议——基于全球价值链的研究视角[J].社会科学辑刊,2009(1):104-107.

[77] 伯纳德特·安德鲁索,戴维·雅各布森.产业经济学与组织[M].北京:经济科学出版社,2009.

[78] 樊钱涛.产业集群的知识溢出和知识获取[J].工业技术经济,2006,25(12):70-71.

[79] 樊纲,王小鲁,朱恒鹏.中国市场化指数:各地区市场化相对进程2006年报告[M].北京:经济科学出版社,2007.

[80] 符正平.中小企业集群生成机制研究[M].广州:中山大学出版社,2004.

[81] 盖文启,朱华晟.产业的柔性集聚及其区域竞争力[J].经济理论与经济管理,2001(10):25-30.

[82] 耿帅.集群企业竞争优势的共享性资源观[J].经济地理,2006,26(6):988-1004.

[83] 龚一斌,龚三乐.自主创新与全球价值链嵌入产业升级[J].经济与管理,2006,20(8):49-52.

[84] 龚丽敏,江诗松,魏江.产业集群创新平台的治理模式与战略定位:基于浙江两个产业集群的比较案例研究[J].南开管理评论,2012,15(2):59-69.

[85] 顾强.促进我国地方产业集群在全球价值链中加速升级[J].宏观经济研究,2007(4):2-6.

[86] 郭晓林,鲁耀斌,张金隆.产业共性技术与区域产业集群关系研究[J].中国软科学,2006(9):111-115.

[87] 迈克尔·波特.竞争论[M].高登第,李明轩,译.北京:中信出版社,2012.

[88] 迈克尔·波特.竞争战略[M].陈丽芳,译.北京:华夏出版社,2014.

[89] 安纳利·萨克森宁.地区优势:硅谷128公路地区的文化与竞争[M].曹蓬,译.上海:上海远东出版社,1999.

[90] 臧旭恒.产业经济评论[M].北京:经济科学出版社,2011.

[91] 郭洪晶,赵玉芬.产业集群创新的影响因素分析[J].北方经济,2009(17):37-38.

[92] 贺玲,单汨源,邱建华.创新网络要素及其协同对科技创新绩效的影响研究[J].管理评论,2012,24(8):54-58.

[93] 黄建康,蒋伏心.嵌入跨国公司价值链的我国产业集群升级路径[J].审计与经济研究,2007,22(2):93-95.

[94] 黄建康.产业集群论[M].南京:东南大学出版社,2005.

[95] 黄永明,何伟,聂鸣.全球价值链视角下中国纺织服装企业的升级路径选择[J].中国工业经济,2006(5):56-63.

[96] 黄永明,聂鸣.全球价值链治理与产业集群升级国外文献研究综述[J].北京工商大学学报(社会科学版),2006,21(2):6-10.

[97] 吉敏,胡汉辉.技术创新与网络互动下的产业集群升级研究[J].科技进步与对策,2011,28(15):57-60.

[98] 贾生华,吴晓冰.全球价值链理论与浙江产业集群升级模式研究[J].技术经济,2006(4):29-31.

[99] 姜鑫,罗佳.基于SCP范式的产业集群综合竞争力量化评价[J].统计与决策,2009(8):56-58.

[100] 蒋昭侠.产业结构问题研究[M].北京:中国经济出版社,2005.

[101] 金碚,吕铁,邓洲.中国工业结构转型升级:进展、问题与趋势[J].中国工业经济,2011(2):5-15.

[102] 金碚.竞争力经济学[M].广州:广东经济出版社,2003.

[103] 金祥荣,柯荣住.对专业市场的一种交易费用经济学解释[J].经济研究,1997(4):74-79.

[104] 郎付山,陆迁.产业集群萌芽阶段的衰退风险研究[J].经济经纬,2009(3):47-50.

[105] 雷鹏.制造业产业集聚与区域经济增长的实证研究[J].上海经济研究,2011(1):35-45.

[106] 李敏,刘和东.基于技术创新的产业集群发展研究[J].科技管理研究,2009(1):218-220.

[107] 李世杰.产业集群的组织分析[D].沈阳:东北大学,2006.

[108] 李小建.新产业区与经济活动全球化的地理研究[J].地理科学进展,1997,16(3):16-23.

[109] 李志刚,汤书昆,梁晓艳.产业集群网络结构与企业创新绩效关系研究[J].科学学研究,2007,25(4):777-782.

[110] 李志刚,汤书昆,梁晓艳.基于网络结构的产业集群知识创新和扩散绩效[J].系统工程,2007,25(5):1-8.

[111] 厉无畏.中国产业发展前沿问题[M].上海:上海人民出版社,2003.

[112] 梁琦.产业集聚论[M].北京:商务印书馆,2004.

[113] 梁琦.跨国公司海外投资与产业集聚[J].世界经济,2003(9):34-36.

[114] 梁文玲,李鹏.基于全球价值链治理的中国纺织企业升级战略思考[J].经济问题探索,2008(7):67-71.

[115] 刘珂.创新网络视角下的产业集群升级研究[J].区域经济评论,2007(5):63-65.

[116] 刘秉镰,韩晶.全球价值链下的地方产业集群升级研究——以天津电子信息产业集群为例[J].产业经济评论,2005(2):134-142.

[117] 刘翠翠,徐倩倩.博弈视角下产业集群创新模式研究[J].价值工程,2009(9):54-56.

[118] 刘东,张杰.社会资本视野中我国地方产业集群升级困境的制度解析[J].江西社会科学,2006(3):215-222.

[119] 刘东勋.转型发展经济中产业集群的起源与演化[M].北京:社会科学文献出版社,2009.

[120] 刘洪钟,齐震.中国参与全球生产链的技术溢出效应分析[J].中国工业经济,2012(1):68-78.

[121] 刘军.社会网络分析导论[M].北京:社会科学文献出版社,2004.

[122] 刘珂.产业集群升级的机理及路径研究——基于我国产业集群的发展实践[D].天津:天津大学,2006.

[123] 刘珂.产业集聚区向产业集群升级的路径研究[J].中州学刊,2012(4):53-55.

[124] 刘芹.产业集群升级研究述评[J].科研管理,2007,28(3):57-62.

[125] 张治栋,孟东涛.企业技术创新和集群创新网络互动下的产业集群升级研究[J].广西社会科学,2017(5):63-68.

[126] 刘维林.产品架构与功能架构的双重嵌入——本土制造业突破GVC低端锁定的攀升途径[J].中国工业经济,2012(1):152-160.

[127] 刘伟,张辉.中国经济增长中的产业结构变迁和技术进步[J].经济研究,2008(11):4-15.

[128] 刘晓红.从全球价值链不同环节间的利益分配看我国的产业升级[J].经济管理,2008(10):79-83.

[129] 刘雪锋.网络嵌入性与差异化战略及企业绩效关系研究[D].杭州:浙江大学,2007.

[130] 刘汴生,王凯.企业集群网络结构及其绩效研究综述[J].工业技术经济,2007,26(9):125-128.

[131] 慕继丰,冯宗宪,李国平.基于企业网络的经济和区域发展理论(上)[J].外国经济与管理,2001(3):26-29.

[132] 聂鸣,刘锦英.地方产业集群嵌入全球价值链的方式及升级前景研究述评[J].研究与发展管理,2006,18(6):108-115.

[133] 钱凯.我国产业集群升级政策建议综述[J].经济研究参考,2009(6):39-45.

[134] 邱斌,叶龙凤,孙少勤.参与全球生产网络对我国制造业价值链提升影响的实证研究——基于出口复杂度的分析[J].中国工业经济,2012(1):57-67.

[135] 任家华.基于全球价值链理论的地方产业集群升级机理研究——以中国电子信息产业集群为例[D].成都:西南交通大学,2007.

[136] 芮明杰,刘明宇,任红波.论产业链整合[M].上海:复旦大学出版社,2006.

[137] 申兆光.产业集群发展与升级成功原因探析——以中山小榄五金制品产业集群为例[J].科技管理研究,2009(9):161-162.

[138] 苏晓艳,范兆斌.产品价值链、内部治理与全球生产网络的结构升级[J].经济纵横,2008(6):120-122.

[139] 孙斌,郑垂勇.产业集群创新系统的序参量研究[J].统计与决策,2009(6):140-142.

[140] 孙国强.网络组织的治理机制[J].经济管理,2003(4):39-43.

[141] 孙华平.产业集群网络动态演化的稳定性分析[J].统计与决策,2009(17):49-51.

[142] 谭力文,赵鸿洲,刘林青.基于全球价值链理论的地方产业集群升级研究综述[J].武汉大学学报(哲学社会科学版),2009(1):56-63.

[143] 谭文柱,王缉慈,陈倩倩.全球鞋业转移背景下我国制鞋业的地方集群升级——以温州鞋业集群为例[J].经济地理,2006,26(1):60-65.

[144] 汤临佳,池仁勇.产业集群结构、适应能力与升级路径研究[J].科研管理2012,33(1):1-9.

[145] 唐晓华,李绍东.中国装备制造业与经济增长实证研究[J].中国工业经济,2010(12):27-36.

[146] 唐晓华,王伟光,李续忠.现代产业组织视角下的管理创新——第二届中国管理创新与大企业竞争力国际会议综述[J].经济研究,2012(1):156-160.

[147] 唐晓华,张丹宁.产业网络的复杂性研究——基于沈阳汽车产业的实证分析[J].当代经济科学,2010,32(5):95-102.

[148] 周海波,胡汉辉.知识演化视角下产业集群升级模式对于创新绩效的影响分析[J].中国科技论坛,2015(11):41-46.

[149] 唐晓华.产业集群:辽宁经济增长的路径选择[M].北京:经济管理出版社,2006.

[150] 陶长琪.基于融合的信息产业自主创新与产业成长的协同机制[M].北京:中国人民大学出版社,2010.

[151] 汪少华,佳蕾.浙江省企业集群成长与创新模式研究[J].科研管理,2003,24(1):129-133.

[152] 王缉慈.创新的空间:企业集群与区域发展[M]北京:北京大学出版,2001.

[153] 王缉慈.关于企业规模科学性的思考[J].中国工业经济,1997(7):27-30.

[154] 王晓萍,余玉龙.国内外产业集群升级研究的最新进展[J].生产力研究,2009(10):124-126.

[155] 王晓霞,张轶慧.产业集群升级:基于网络结构的视角[J].求实,2010(12):46-49.

[156] 王业强,魏后凯.产业特征、空间竞争与制造业地理集中——来自中国的经

验证据[J].管理世界,2007(4):68-77.

[157] 王瑛.地方产业集群升级的两维性分析[J].科技进步与对策,2009,26(5):55-59.

[158] 王瑛.基于知识网络特征的产业集群升级动力研究[J].情报杂志,2011,30(5):192-196.

[159] 阿尔弗雷德·韦伯.工业区位论[M].北京:商务印书馆,2011.

[160] 魏剑锋.国内产业集群研究文献综述[J].工业技术经济,2008,27(4):117-120.

[161] 魏江,魏勇.产业集群学习机制多层解析[J].中国软科学,2004(1):121-136.

[162] 魏江,叶波.文化视野中的小企业集群技术学习研究[J].科学学研究,2001(4):66-71.

[163] 魏江.产业集群:创新系统与技术学习[M].北京:科学出版社,2003.

[164] 魏守华,石碧华.论企业集群的竞争优势[J].中国工业经济,2002(1):59-65.

[165] 吴德进.产业集群的组织性质:属性与内涵[J].中国工业经济,2004(7):14-20.

[166] 吴晓波,耿帅.区域集群自稔性风险成因分析[J].经济地理,2003,23(6):726-730.

[167] 吴晓波,郑健壮.企业集群技术创新环境与主要模式的研究[J].研究与发展管理,2003,15(2):1-5.

[168] 吴延兵.自主研发、技术引进与生产率——基于中国地区工业的实证研究[J].经济研究,2008(8):51-64.

[169] 吴义爽,蔡宁.我国集群跨越式升级的"跳板"战略研究[J].中国工业经济,2010(10):55-64.

[170] 武云亮.我国制造业集群升级的路径选择及政策建议[J].宏观经济管理,2008(1):51-54.

[171] 谢洪明,罗惠玲,王成.学习、创新与核心能力:机制和路径[J].经济研究,2007(2):59-70.

[172] 徐康宁.产业聚集形成的源泉[M].北京:人民出版社,2006.

[173] 徐乾.产业集群中的知识传播与企业竞争优势研究[M].杭州:浙江大学出版社,2009.

[174] 阳志梅,汤长安.基于产业集群的技术扩散过程博弈研究[J].统计与决

策,2009(5):66 - 67.

[175] 杨鑫,杨树旺.我国电子信息产业集群升级路径研究——以"武汉光谷"为例[J].工业技术经济,2007,16(12):11 - 14.

[176] 叶建亮.知识溢出与企业集群[J].经济科学,2015,23(3):23 - 30.

[177] 曾繁英,罗致.基于扩展平衡记分卡的产业集群绩效评价体系研究[J].华侨大学学报(哲学社会科学版),2009(2):47 - 55.

[178] 张辉.全球价值链下西班牙鞋业集群升级研究[J].世界经济研究,2006(1):84 - 88.

[179] 张杰,刘志彪.制度约束、全球价值链嵌入与我国地方产业集群升级[J].当代财经,2008(9):84 - 91.

[180] 张辉.产业集群竞争力的内在经济机理[J].中国软科学,2003(1):70 - 74.

[181] 张辉.全球价值链理论与我国产业发展研究[J].中国工业经济,2004(5):38 - 46.

[182] 张辉.全球价值链下地方产业集群升级模式研究[J].中国工业经济,2005(9):11 - 18.

[183] 张辉.全球价值链下地方产业集群转型和升级[M].北京:经济科学出版社,2006.

[184] 张杰,刘东.我国地方产业集群升级困境的一个制度解析——基于社会资本的逻辑视角[J].东南学术,2006(3):98 - 104.

[185] 张杰,刘志彪.套利行为、技术溢出介质与我国地方产业集群的升级困境与突破[J].当代经济科学,2007,29(3):14 - 22.

[186] 张杰,张少军,刘志彪.多维技术溢出效应、本土企业创新动力与产业升级的路径选择——基于中国地方产业集群形态的研究[J].南开经济研究,2007(3):47 - 67.

[187] 邓娜娜.全球价值链视角下高新技术产业集群升级影响因素研究[D].天津:天津大学,2017.

[188] 赫连志巍,邢建军.创新网络成果传递能力与产业集群升级[J].企业经济,2017(10):51 - 58.

[189] 周虹.全球价值链视角的产业集群发展研究[D].杭州:浙江大学,2006.

[190] 周泯非,魏江.产业集群创新能力的概念、要素与构建研究[J].外国经济与管理,2009,31(9):9 - 17.

[191]　周轶昆.基于厂商学习的产业创新机制研究[M].北京:经济科学出版
　　　　社,2007.

[192]　朱华晟.基于FDI的产业集群发展模式与动力机制——以浙江嘉兴木业集
　　　　群为例[J].中国工业经济,2004(3):106-112.

[193]　朱建安,周虹.发展中国家产业集群升级研究综述:一个全球价值链的视角
　　　　[J].科研管理,2008(1):115-121.

[194]　朱伟民.高新技术产业集群中的知识转移[J].郑州轻工业学院学报(社
　　　　会科学版),2005,6(4):38-41.

[195]　苏东坡,柳天恩,李永良.模块化、全球价值链与制造业集群升级路径[J].
　　　　经济与管理,2018(4):60-67.

[196]　连远强.集群与联盟、网络与竞合:国家级扬州经济技术开发区产业创新升
　　　　级研究[J].经济地理,2013(3):106-111.

[197]　左和平,杨建仁.基于面板数据的中国陶瓷产业集群绩效实证研究[J].中
　　　　国工业经济,2011(9):78-87.